KB171943

허부영
신창경
이민희
이승연
최이윤
하주현
시니어 모델?
시니어 배우는 어때?
기획 허부영

시니어 모델?
시니어 배우는 어때?

발 행 일	2023년 12월 9일
지 은 이	허부영 신창경 이민희 이승연 최이윤 하주현
편 집	권 율
디 자 인	김현순
발 행 인	권경민
발 행 처	한국지식문화원

출판등록	제 2021-000105호 (2021년 05월 25일)
주 소	서울시 서초구 서운로13 중앙로얄빌딩 B126
대표전화	0507-1467-7884
홈페이지	www.kcbooks.org
이 메 일	admin@kcbooks.org
ISBN	979-11-92475-98-1

허부영
신창경
이민희
이승연
최이윤
하주현

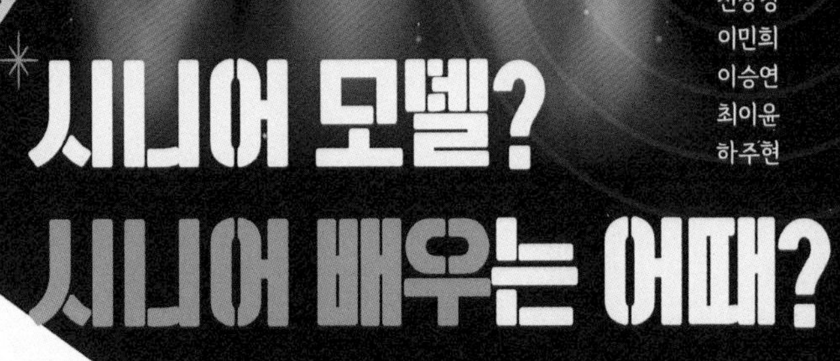

시니어 모델? 시니어 배우는 어때?

기획 허부영

40+
언니들의 좌충우돌
배우 도전기

기획의 글

"자기 연극 최고야"

"방 안에 앉아 세상을 다 보잖아"

영화 〈라라 랜드〉에 나오는 대사입니다.

인생은 한 편의 연극과 같다고 말했던 셰익스피어의 말도 함께 떠오릅니다.

『시니어 모델? 시니어 배우는 어때?』 공동 출간을 기획하고, 지난 3월부터 연말까지 40+시니어 배우들이 얼마나 열심히 고민하고 심사숙고했는지….

미팅 횟수며 전화 통화, 문자 메세지는 셀 수도 없을 만큼 많이 주고받았습니다.

드디어 책이 나오게 되었습니다.

원고를 받아서 읽어 나가며 연극보다 더 연극 같고, 영화보다 더 영화 같은 그녀들의 삶을 통해서 얼마나 많은 감동을 받았는지 모릅니다.

늦을 때란 없습니다.

인생은 한 번뿐이고, 다시 오지 않을 순간을 위해 현재를 살기를 바랍니다.

배우라는 직업에 도전하고 또 이렇게 작가가 되기까지 한 그녀들의 모습을 통해 누군가에게 큰 용기가 되어 주고 싶습니다.

다르지 않습니다.

누군가의 아내이며 엄마이자 딸인 그녀들의 삶을 통해 저 또한 많은 힘을 얻었습니다. 저도 용기를 냈습니다.

저희들의 경험이 조금이나마 도움이 되길 바라는 마음으로 이 책을 준비했습니다.

이제 여러분의 차례입니다.

배우 허부영

기획, 대표저자

발간사

『시니어 모델? 시니어 배우는 어때?』

이 책은 여섯 명 40+ 언니들의 좌충우돌 배우 도전 이야기입니다. 그녀들의 인생과 연기 경력을 되돌아보며, 많은 사람에게 공유하고자 하는 소중한 이야기입니다. 6인의 여성배우 삶의 여정에서 겪은 경험과 감정을 토대로 공동저서를 집필하여, 공감하는 독자들과 나누고 싶은 많은 이야기가 있기 때문입니다.

6인의 당찬 언니배우들이 겪은 성공과 실패, 그리고 그로부터 얻은 교훈을 공유하고 싶었습니다. 삶은 복잡하고, 때로는 어렵고 고통스러울 수 있지만, 그 안에는 깊은 의미와 감사함이 함축되어 있습니다. 이 책을 통해 독자들이 그들의 여정에서 얻은 것을 함께 나누고자 합니다.

이 책이 독자 여러분의 마음에 다양한 감정과 생각을 일으키길 바랍니다. 배우들의 진솔한 이야기를 통해 독자들이 자신의 삶과 가치관을 되돌아보고, 자신만의 성공과 행복을 찾을 수 있는 영감을 얻으시기를 바랍니다.

감추고 싶은 마음 깊은 곳의 이야기까지 공유하여 이 책을 완성할 수 있었습니다. 이 책이 세상에 나올 수 있도록 함께 힘을 모아주신 6인의 당찬 언니배우들께 진심으로 감사의 말씀을 전합니다.

도서출판 한국지식문화원은 여러분의 삶에 가치를 부여합니다. 일반 대중과 소통 가능한 문화적 지식을 책으로 펴내고 공감할 수 있는 기회를 만들어 갑니다. 사회적, 문화적 가치를 가진 콘텐츠를 보유한 누구에게나 소중한 출판의 기회가 열려 있습니다. 자신의 소중한 경험과 지식으로 타인의 삶을 바꾸는 보람된 움직임에 함께 동참하세요.

"당신이 살아온 삶의 가치가
세상을 바꾸는 책과 강연이 되는 곳!"
「한국지식문화원」이 함께 합니다.

권경민
발행인
한국지식문화원 대표

"인생은 가까이서 보면 비극이지만,
멀리서 보면 희극이다."

Life is a tragedy when seen in close-up,
but a comedy in long-shot.

TABLE OF CONTENTS

TABLE OF CONTENTS

시니어 배우 전문 액팅 코치
헬레나.

배우가 되고 싶다고?

"오랫동안 꿈을 그리는 사람은
마침내 그 꿈을 닮아간다."

The person who paints the dream for
a long time finally resembles it.

시니어 연극반!

내가 처음 시니어 수업을 시작하게 된 것은 15년 전 즈음이다. 명동에 있는 YWCA에서 인생 2모작 사업 공모에 선정이 되어 〈시니어 연극반〉이 진행될 거라고 친하게 지내던 선생님으로부터 함께 프로그래밍을 하고 수업을 해보자는 제안을 받게 되었다. 그때는 미혼이었고 아이들 연기는 많이 가르쳐 봤지만, 시니어 수업은 처음이라 내가 잘할 수 있을까 걱정이 앞섰다.

연기를 전공을 하고 싶고 배우가 꿈인 사람들은 지도 해 봤지만, 시니어분들의 연기를 내가 잘 지도할 수 있을까?

시니어 아마추어들을 위한 교수법 책도 없고, 누구한테 어떻게 물어봐야 할지 몰라 강의 제안을 주셨던 선생님과 함께 회의도 여러 차례 진행하고 수업 준비도 많이 했다.

최근엔 유튜브 웹 드라마 채널도 많아졌고 대형 방송사들이 만든 온라인 플랫폼 매체도 많아졌다. 덩달아 배우가 필요한 시장이 늘었다. 몇 년 전부터는 시니어 모델 대회 숫자가 늘었고, 방송에서 시니어 모델에 대한 내용을 다룬 이후 시니어 모델 전문 학원이며 지자체 강좌들도 많이 생겼다. 생업에서 은퇴 후 어렸을 때 꿈을 이루고 싶어 뒤늦게 현장에 진출하는 사례도 많아졌다.

하지만 내가 처음 시니어 연극반을 시작할 당시만 해도

"은퇴하고 일반인이 갑자기 배우로 데뷔한다고?"
"아~ 그냥 자아실현!"
"어릴 때 꿈을 못 버리고 한 번 해보는 거겠지~"
"다 늙어서 배우는 무슨 배우야!!"

용기를 내서 오시는 분들도 연기를 배우고 싶은 맘은 크지만, 가족들에게 조차도 말 못 하고 몰래 강의를 들으러 다니신다는 분도 있었다. 그때는 나도 확신이 강하진 않았다.

하지만 이후 서울시 50플러스 재단뿐만 아니라 여러 지자체에서 시니어 모델 양성과정이나 시니어 배우 양성과정이 생겨나는 것을 봤고 조금 빠르게 시니어 연극을 지도 하게 되었던 나는 좀 더 많은 노하우를 쌓을 수 있게 되었던 것 같다.

사실 다른 건 없었다. 나보다 훨씬 연배가 높고 우리 엄마보다도 더 나이가 많으신 분들을 내가 가르친다는 게 우습다는 생각이 들 때도 많았지만, 연기라는 과목의 특성상 마음을 나누지 않으면 제대로 배울 수도, 가르칠 수도 없기 때문에 나는 나의 수업을 듣는 나의 '제자'분들 한 분 한 분을 마음을 다하려고 노력했다.

그때부터 15년을 넘어 연을 이어오고 있는 제자 분들이 있다. 물론 인생에선 내가 한참 어린 후배, 어쩌면 딸보다도 어려서 제자라고 호칭하기도 머쓱한 감정이 들 때가 많지만, 그 수업 때 만났던 인연이 아직도 이어져 오고 있는 것을 보면 '내가 그래도 수업을 영 꽝으로 한 건 아닐 거야.'라고 생각해 보게 된다.

시간이 한 참 흐른 뒤에도 어느 수업 때 만났던 제자 분들이 다른 좋은 강의 제안을 해 주시기도 하고 연출자가 필요할 때 나를 떠올려 주시고 적극적으로 추천해 주신 적도 여러 번 있었다. 참 감사한 일이다.

연기 수업에서 첫 번째 과제는 '자신에 대해서 알기'이다. 배역을 맡아 캐릭터를 연기하려면 우선 자신에 대해서 잘 알아야 한다. '나는 어떠한 성격인지?', '어떤 감정을 잘 표현할 수 있는지?', '내 외형은 어떤 사회적 캐릭터와 잘 맞는지?' 등등 자신에 대한 외적 내적 분석이 필요하다.

강의 첫 시간에 10페이지 가까이 되는 인물분석표를 나누어 준다. 한 번에 다 작성하지 말고 시간을 두고 천천히 작성해 보기를 권하고 따로 과제처럼 체크는 하지 않는다. 학기당 단 몇 명만이 끝까지 다 작성했다고 얘기를 한다.

작성하며 내가 나에 대해 이렇게 모르는지 몰랐다고 말씀하시는 분들의 이야기를 참 많이 들었다. 그렇다. 우리는 우리 자신을 모른 채 살아갈 때가 많다. 난 배우라는 직업이 참 좋다고 생각하는 부분이 바로 이 부분이다.

〈숭실대학교 글로벌미래교육원 〈40+시니어연기과정〉 참여자 및 강사진〉

배역에 다가가기 위해서 끊임없이 나에 대해 깊이 있게 생각하는 직업. 인간은 스스로 자신의 존재를 통합할 수 있게 될 때 몰아의 경지에 다다를 수 있다. 평온하고 완벽한 상태. 니체가 말한 초인의 경지가 그런 상태가 아닐까 생각해 본다.

연기에 대해서 얼마나 진지하게 생각하고 있는지를 10장짜리 인물분석표를 통해서 미루어 짐작해 볼 수 있다고나 할까?

인물분석표	
외적 분석	내적 분석
키, 몸무게	도덕적 기준
걸음걸이, 몸짓	개인적 목표
헤어스타일	삶에 대한태도

위 표의 예시대로 나에 대해 구체적인 분석을 해 나가다 보면 가끔은 술술 써질 때도 있고 또 가끔은 막막해질 때도 있다.

나 또한 새로운 배역을 맡게 되면 한 번씩 다시 작성해 보는데 나 스스로에 대해 다층적으로 분석해 보고 이후 대본에 주어진 내용을 바탕으로 캐릭터를 형상해 나가는 작업을 수행한다.

스타니슬랍스키의 연기 시스템을 통해 배우는 훈련되어질 수 있다고 믿었다. 나 또한 그렇게 생각하고 훈련했고, 제자들에게도 그렇게 가르치고 있다. '침대는 과학입니다'라는 광고 카피가 유행하던 시기에 '연기는 과학입니다'라는 예시를 들어서 연기 훈련을 체계적인 분석과 훈련을 통해서 해 나가는 방법을 지도 했다.

하지만 연기는 '감정'을 표현하는 것이기 때문에 기술적 측면뿐만 아니라 인간이 타고난 '감성'은 가르칠 수 없는 것 같다는 생각을 많이 하게 된다. 그래서 연기 지도를 하다 보면 살아온 인생에 대한 이야기를 많이 나누게 된다. 이야기를 나누다 보면 인생길에서 겪은 '희, 노, 애, 락'을 모두 나누고 함께 공감할 수 있는 시간이 생긴다.

그러면 그것들을 잘 기억해 두었다가 연기 할 때 사용할 수 있기를 바라는 마음으로 살아온 이야기를 나누는 시간을 꼭 수업 커리큘럼 안에 넣는다. 앞서 말했던 인물 분석표를 정리하면서 혼자서 정리한 내용을 사람들 앞에서 이야기하며 표현하는 시간을 갖는 것이다. 캐릭터를 입기 전에 자신의 캐릭터를 먼저 객관화하는 시간을 가지는 것이다.

〈숭실대학교 글로벌미래교육원 〈40+시니어연기과정〉 수업사진〉

인생의 여정은 자아에 대한 끊임없는 탐색의 여정이 아닌가 싶다. 혹자는 그럴지도 모른다. '학교 졸업하고 취업하고 결혼하고 자식 낳아 잘 키우고 그러면 되는 거지 한가롭게 자아 탐색이라니, 아직도 사춘기냐?' 혀를 차는 사람이 있을지도 모르겠다.

하지만 내가 생각하는 인생이란, '자아 성장 기록의 역사'라고 정의 하고 싶다. 아직도 나는 자아 성장을 위해 노력하고 있고 남들 기준에 조금은 뒤늦은 도전을 위해 찾아오신 분들을 위해 최선을 다해 도와드리고 싶다.

〈숭실대학교 글로벌미래교육원 〈40+시니어연기과정〉수료식〉

시니어
전문가?

"부영아 오랜만이야,

다름이 아니라

너한테 소개 하고 싶은 분이 있어서

나는 아이들만 지도하고 있고

시니어 전문가 친구가 있으니

소개하겠다고 말씀드렸어.

상담 좀 해 줄 수 있어?"

대학원에서 같이 공부했던 친구였다. 못 본 지 10년도 훌쩍 넘은 친구였는데, 소셜미디어를 통해 내가 시니어 강의와 관련 활동하고 있는 모습을 보고 연락을 했다는 거다. 참 반갑고 고마웠다.

어찌 됐든 한 분야에서 10년을 넘어 종사하고 있으니, 사람들이 보기엔 전문가처럼 보였다는 거다. 그렇게 전화를 받고 보니 더 전문가가 되고 싶어졌다. 그 무렵 박사과정에도 진학하고 공연예술학을 공부하며 연기를 가르치거나 배우로 연기를 하는 일 외에도 글을 쓰고 연출을 하게 되는 기회도 더 많아졌다.

〈허부영 작,연출 뮤지컬 〈쇼머스트고온〉으로 데뷔한 이민희 배우〉

연기를 배웠던 제자들 중에 내 연출 작품에 출연하여 데뷔할 수 있게 도와드렸다. 요즘은 챙겨서 하는 경우가 없는데 예전에는 연극에 첫 출연을 하는 배우가 일명 '입봉떡'이라는 것을 공연 팀 사람들에게 나누었었다. 그 얘기를 했더니 정말로 떡을 맞춰 와 돌리시기도 했다. 참 기분 좋은 순간으로 기억된다.

또 한 번은 급하게 영화에 출연할 시니어 배우가 필요하니 프로필을 보내달라는 요청을 받은 적이 있다. 내가 배우 에이전시를 운영하거나 배우 매니저도 아닌데 어떻게 연락을 주셨는지 물으니, 교수님이 연기를 제대로 가르쳐서 현장에 투입 시켜 줄 것 같아서 수소문해서 전화를 했다는 것이다.

황당하면서도 기분이 좋은 상황이었다. 그래서 필요한 배역과 캐릭터에 대한 안내를 받고 어울릴 만한 적임자를 찾아 준 적도 여러 번 있다. 나중에는 여기저기서 계속 전화가 와서 에이전시를 차려야 했다는 말을 농담처럼 많이 했다. 어찌 됐든 지도하는 입장에서 배워서 바로 현장 진출을 할 수 있게 도와드릴 수가 있어 보람이 있었다.

A004_A009
01:23:23
TVlogic

앞으로 바람이 있다면, 시니어 수업을 정기적으로 진행하면서 그 분들이 수업 과정이 끝나고 나서도 지속적으로 적을 두고 활동할 수 있는 단체를 만들고 싶다.

연극을 가장 오래 해 왔고 극단 운영을 10년 정도 해본 경험이 있으니 시니어 배우들만을 위한 극단을 운영해 볼까? 하는 생각도 해보고 이 방법이 내가 가장 재밌게 잘할 수 있는 방법이 아닐까 궁리해 보고 있는 중이다. 이 책을 읽게 되는 아마도 시니어 배우에 관심 있는 누군가가 찾아와 주길 바라면서….

시니어 연기자

"요즘은 다들 쉽게 사랑하고 쉽게 헤어지잖아.

옷을 바꿔 입듯이 상대를 바꾸지.

난 아무도 쉽게 잊은 적이 없어.

누구나 저마다의 특별함이 있거든.

헤어진 빈자리는 다른 사람이 채우지 못 해.

난 헤어질 때마다 큰 상처를 받아.

그래서 새로운 누군가를 사귀기가 힘들어.

그래서 하룻밤의 인연도 만들지 않아.

별게 다 생각나서 괴롭거든.

되게 사소한 일까지 말이야.

사람을 만나도 난 그런 사소하고 작은 일에

감동을 받고 잊을 수가 없어.

누구나 저마다의 특별한 아름다움이 있지."

영화 〈비포 선셋〉에 나온 대사이다. 여자 주인공 줄리 델피가 맡았던 셀린이 하는 말이다. 연인관계를 두고 한 말이었지만, 나는 꼭 연인뿐만 아니라 모든 인간관계에서, 그녀의 말처럼 나 또한 인생을 살면서 만나게 되는 작은 인연 하나를 그냥 지나치기 어려운 때가 많다.

특히 장기간 내 강의를 들었던 분들, 앞서 말했듯 연기라는 과목의 특성상 수업 과정 안에서 개개인의 바이오그라피를 깊이 알게 되는 경우가 있다. 그래서인지 마음을 열고, 깊은 이야기를 나누어 주고 연기를 배우시는 분들은 하나하나 다 기억난다.

연락이 끊어지거나 개인적인 사정으로 강좌가 끝난 뒤 함께 이어가던 모임에 나오지 않는 분들도 한 분 한 분 많이 생각이 난다. 그래서 내가 가끔 공연에 출연하거나 하면 소식을 전하면서 안부 인사를 한다. 꼭 공연을 보러 오시지 않더라도 그 핑계로 인사를 나눌 수 있는 게 나는 좋다.

가끔 시니어분들은 건강상의 이유로 급작스레 활동을 중단하거나 어렵게 맡게 된 방송 출연에 나가지 못하게 되는 상황도 발생하게 되기도 하고 여러 일들이 있었지만, 그 와중에도 건강하게 활동을 이어 나가는 분들을 보면 너무 기분이 좋다.

얼마 전 셰익스피어 4대 비극 중 하나인 연극 〈리어왕〉에 출연하신 이순재 선생님을 뵈러 간 적이 있었는데 1935년생의 현역 배우의 무대는 감동 그 이상이다.

학부 시절 선생님께 연기를 배우고 선생님의 활동을 그때부터 더 유심히 지켜보았는데 언제나 뵐 때마다 열정과 에너지 넘치는 선생님을 뵈면 나 또한 힘을 얻는다.

그래서 내게 연기를 배우러 오시는 분들이 "60인데, 너무 늦은 거 아닐까요?", "저, 이제 70이에요. 연극은 못 하겠어요."라고 말씀하시면 "이순재 선생님은 이제 아흔이세요. 그에 비하면 베이비세요."라고 말하고, "선생님을 그럼 아직 세포 단계인가요?"라고 꺄르르 한바탕 소란이 일어난다.

〈'리어왕' 공연을 마친 이순재 선생님과 함께 분장실에서〉

올여름 시니어 배우들과 함께 그들의 자전적 이야기로 극작을 하고 연출했던 작품이 작품상을 받게 되었다. 참 감사하고 그동안의 시간을 위로받는 느낌이 들어 힘이 났다.

최근 중년이 훌쩍 넘어 영화에서 주목받고 대중들에게 알려진 한 여배우가 15년간 무명 시절이었던 때에도 하루에 두 시간씩 매일 매일 훈련을 했다고 한다.

언젠가 올지 모를 기회지만 그때가 왔을 때 준비가 되어 있지 않아서 놓치면 너무 후회될 거라 생각하며 비가 오나 눈이 오나 꼭 연습했다고 한다. 나 또한 학생들에게 20분이라도 좋으니 매일 조금씩이라도 연습하라고 강조한다.

"뭐가 어때서? 괜찮아, 다 해 보는 거야~!!"

작연출_허부영

연출의 글

'현재 나는 어디쯤에 와 있는가?' 질문을 던져 봅니다.
성장기를 거쳐 '나'와 '내 인생'에 대해서만 생각하며 살던 삶이,
결혼과 출산을 통해 어느덧 많이 달라져 있습니다.

'나' 보다는 아이와, 배우자,
또 새롭게 맺어진 다른 가족들을 챙겨가며 하루하루 바삐 살다 보니
내가 진정으로 원하던 것을 무엇이었는지를 잊고 있었다는 생각을 하게 되었습니다.

나와 사회와의 관계, 가정 안에서 나의 위치와 내가 해 내야만 하는 일들로
인생이 가득 차 버리고 있다는 걸 깨닫게 되는 순간,
내가 진정 바라던 삶이 무엇이었나 고민해 보게 됩니다.

'더 이상 머뭇거리지 말자.'
'한 걸음씩 다시 나를 위해 나아가 보자'

숨지 말고 용기 있게 도전해 보기로 합니다.
새롭게 시작될 인생길에서 그렇게 이 작품을 함께 만들게 되었습니다.

치유란 대단한 무엇인가가 아니라 나 스스로 지금 이 순간에 머물며,
내가 진짜 원하는 것이 무엇인지를 깨닫게 되는 그 때 일어납니다.
우리가 모두가 진짜 원하는 그 순간을 만나길 소망하면서,
함께 무대를 만들어갈 관객에게도 그 진짜의 순간이 일어나길 바랍니다.

작품 소개

40대 이상의 시니어 배우들이 자전적인 이야기를 바탕으로 무대에 섭니다.
큰 용기를 내어 무대를 함께 꾸며가기로 뜻을 모았습니다.
이야기의 시작은 '나'에 대해서 생각해 보기였습니다.
내가 진짜 원하는 것이 무엇이었는지
지금 내가 가장 해 보고 싶은 것이 무엇인지 알아내고
그게 무엇이든 다른 사람들을 의식하지 말고
해 보기로 합니다.

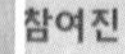

참여진

배우_이선희

배우_하주현

배우_홍아리엘

배우_송지현

음악감독_제나

안무감독_방현아

오퍼레이터_유문호

<극단/단체소개>

문화살롱 플라잉트리

2013년 창단.
'배우가 선 그곳이 바로 무대다.' 라는
다양한 장소에서 공연을 진행하며
관객과 더 가까이 소통하기 위한
이머씨브 공연을 다수 제작 하였습니다
<살롱극 프로젝트>, <사방팔방 프로젝
<희곡이 들린다> 등의 창작 컨텐츠를
개발, 진행하고 있습니다.

Flying TREE Since 2013

공연 일시 : 2023년 6월 16일 (금) 오후
티켓 가격 : 전석 만원(자유석)
문의 및 예약 : 010-4404-1221

대한민국치유예술제 작품상

참가단체: (일반인부 시니어) 극단 플라잉트리
작품명: <괜찮아, 다해>

위 단체는 2023년 대한민국치유예술제에서 관객들에게
와 감동을 주고 사회적 치유를 이끌어내는 훌륭한 작품
연하였기에 이 상장을 드립니다.

2023년 6월

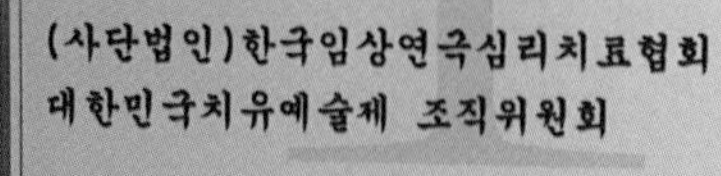

(사단법인)한국임상연극심리치료협회
대한민국치유예술제 조직위원회

** 매일 매일 혼자서 하는 배우 훈련 루틴!! **

1. 신체 트레이닝

2. 보이스 트레이닝

3. 독백 대사 연습

이 세 가지는 꼭!! 매일 매일 짧게라도 꼭 하자!! 배역을 맡기 위한 오디션 준비를 하기 위함이라 할 수도 있는데, 배역을 맡고 나서도 꾸준히 트레이닝을 지속하기 바란다.

그리고 독백은 자신에게 어울리는 대사를 찾는 것이 좋다. 주변 사람들에게 많이 물어보고 내가 어떤 캐릭터와 잘 맞는지 최근에 봤던 드라마나 영화에 나오는 어떤 인물과 내가 닮았는지 그런 것들을 살펴보며 독백 대사를 고르는 것이 좋다.

아무래도 시니어 배우는 캐스팅 물망에 오를 때 외형적으로 보여지는 이미지로 캐스팅이 되는 경우가 많기 때문에 자신의 캐릭터를 잘 보여 줄 수 있는 대본을 고르는 것이 좋다.

간단하게 꼭 연습해야 하는 것을 소개하도록 하겠다.

1. 신체 트레이닝

자신에게 잘 맞는 운동이나 춤도 좋다. 기본적으로 배우는 중립의 몸을 갖는 게 중요하다. 어떤 캐릭터를 맡게 될지 모르니 습관이 없는 몸으로 보이는 게 좋다. 하지만 나이가 들수록 불필요한 습관이 밴 몸일 경우가 많다.

그래서 중립을 유지할 수 있게 도움을 주는 가벼운 요가나 스트레칭 위주의 운동으로 신체 정렬을 바르게 하는 것을 가장 추천한다. 35세 이후로 급격히 기초 대사량도 줄고 근력이 줄어든다고 하니 근력운동도 병행하면 좋겠다.

2. 보이스 트레이닝

한국어 표준 발음법을 다시 한번 점검해 보기를 바란다. 알게 모르게 밴 말씨가 표준어가 아닐 경우들이 있다. 캐릭터의 특성에 잘 맞는다면 모르겠지만 그렇지 않은 경우도 있으니, 몸과 마찬가지로 보이스도 중립상태를 위해 노력하는 것이 좋다.

요즘 웰빙이다, 웰다이닝이다 해서 건강한 신체를 위한 노력을 많이 하는데 보이스 즉, 목소리도 잘 관리하면 더 건강한 소리, 더 아름다운 소리를 낼 수 있다. 많이 헷갈려 하는데, 자음과 모음 발음도 정확하게 구사할 수 있어야 한다.

ㄱ ㄴ ㄷ ㄹ ㅁ ㅂ ㅅ ㅇ ㅈ ㅊ ㅋ ㅌ ㅍ ㅎ
기역 니은 디귿 리을 미음 비읍 시옷 이응 지읒 치읓 키읔 티읕 피읖 히읗

① 한글 모음과 자음을 정확하게 발음해야 한다.

② 단어의 장단음을 정확하게 살려주어라.

③ 모음은 장음으로 발음해주면 듣기 더 좋다.

④ 호흡 사용이 중요하다. 복식호흡을 연습하라.

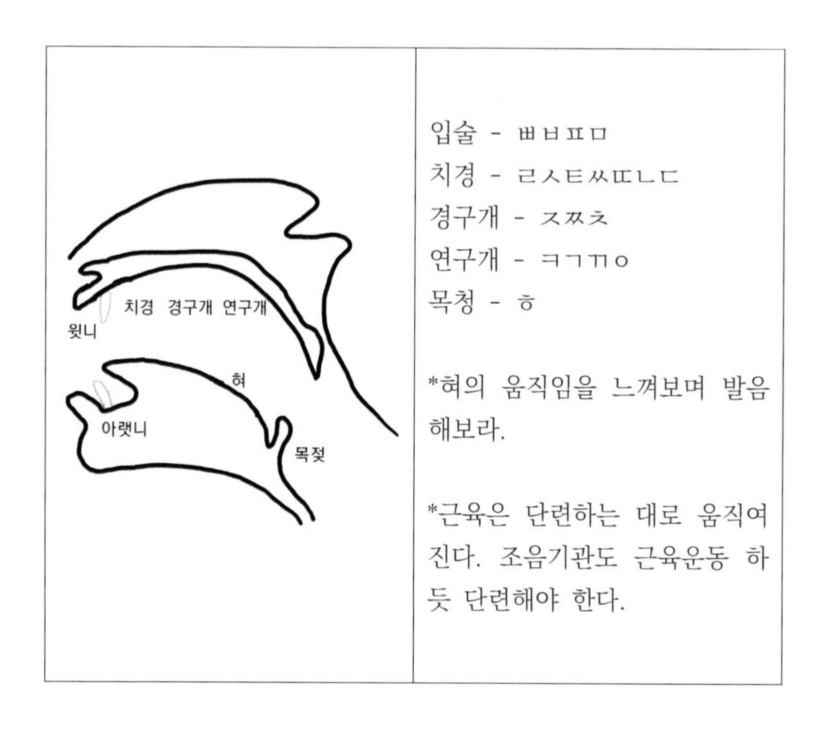

치경 경구개 연구개
윗니
혀
아랫니
목젖
입술 - ㅃㅂㅍㅁ
치경 - ㄹㅅㅌㅆㄸㄴㄷ
경구개 - ㅈㅉㅊ
연구개 - ㅋㄱㄲㅇ
목청 - ㅎ
*혀의 움직임을 느껴보며 발음해보라.
*근육은 단련하는 대로 움직여진다. 조음기관도 근육운동 하듯 단련해야 한다.

배우는 몸이 악기이다. 연주자들은 연주에 앞서 악기 튜닝하는 시간을 꼭 가진다. 배우도 연기 연습이나 촬영에 앞서 자신의 몸과 마음을 가다듬는 시간이 꼭 필요하다.

짧게라도 좋으니 매일 매일 자신만의 루틴을 만들어 지속적으로 트레이닝을 꼭 해 나가길 권한다.

배우가 되고 싶다면 말이다.

내 나이 칠순에 맞춰내는 이 책은
나의 인생 회고록이 되어
무한한 사랑으로 빛이 나는 여왕님이 되었다.
여왕님.

나, 신창경

"진정으로 웃으려면 고통을 참아야 하며,
나아가 고통을 즐길 줄 알아야 해!"

To truly laugh, you must be able to
take your pain, and play with it!

선생님이
천직인 줄 알았지

나는 1953년에 경북 김천에서 태어나 4살 되던 해에 서울로 올라왔다. 동국대학교 문리과대학 수학과를 졸업하고 중등2급 정교사 자격증을 획득하여 중학교 수학 교사로 재직했다. 재직 당시 늘 남학생반만 담임하였다. 어려서부터 운동을 좋아했던 터라 방과 후에 아이들과 배구, 탁구 등 운동을 하고 짜장면을 같이 먹던 많은 추억은 지금 이 글을 쓰고 있는 이 시간에도 미소를 머금게 한다. 그들도 가끔은 그때를 떠올리지 않을까? 생각해 본다.

난 선생님이 천직인 줄 알았지!

아버지도 큰언니도 교육자인 나는 자연스레 그 피를 물려받아서 일까? 학교생활이 적성에 맞았다. 은퇴 후에도 학원 원장으로 아이들과 학부모들과 유대가 깊은 시간을 보냈다.

2023년 2월 여고 졸업한 지 50주년이 되는 해다. 여고 때 국어 선생님이셨던 허만길 선생님(문학 박사, 시인, 수필가)의 적극적인 권유로 우리 17회 졸업생 중 20여 명의 시와 수필을 모아 '늘푸른 마음'을 발간하였다.

나는 시니어 모델

신 창 경

한 해가 저물어 가는
12월의 끝자락
우리들의 무대가 열린다.

화려한 조명이 춤춘다.
경쾌한 음악이
나의 심장을 뛰게 한다.

유명 디자이너의 멋진 의상을 입고
굽 높은 구두를 신고
설레는 마음을 안고 무대에 오른다.

객석에 앉아 미소 머금은
눈빛으로 바라보고 있는
관중들의 따뜻한 시선을 느낀다.

꿈을 이루고 있는
나는 행복하다. 나는 시니어모델

3남 3녀 중 막내로 엄마 나이 42살 늦둥이로 태어나 엄마와 주위의 사랑을 듬뿍 받고 자란 덕에 정 많고 따듯하고 애교 많다는 이야기를 종종 들었다.

대학교 시절 주임교수님은 나에게 맏딸(장녀)인 줄 아셨다고 막내인 줄 전혀 모르셨다고 깜짝 놀라시던 기억이 난다. 지금의 나는 주위의 모든 교수님 동료 후배들의 배려에 가끔은 막내로 자란 티를 팍팍 내기도 한다.

앞에서도 언급했듯이 난 정말 많은 운동을 배우고 즐겼지만 그중 테니스는 나의 최애 스포츠다.

33살 나의 사랑스런 딸이 초등학생이 되던 해 10월에 남편과 함께 테니스에 입문하였다. 나의 인생에서 빼놓을 수 없는 동반자라고 말할 수 있다.

51세 되면서 시니어 국가대표 선수로 전국은 물론 세계를 누볐다. 중국의 북경, 상해, 태국 파타야 캄보디아 베트남 사이판 일본의 나고야, 후쿠오카, 오사카 등등 교류가 잦았던 일본은 정말 많은 추억이 있다.

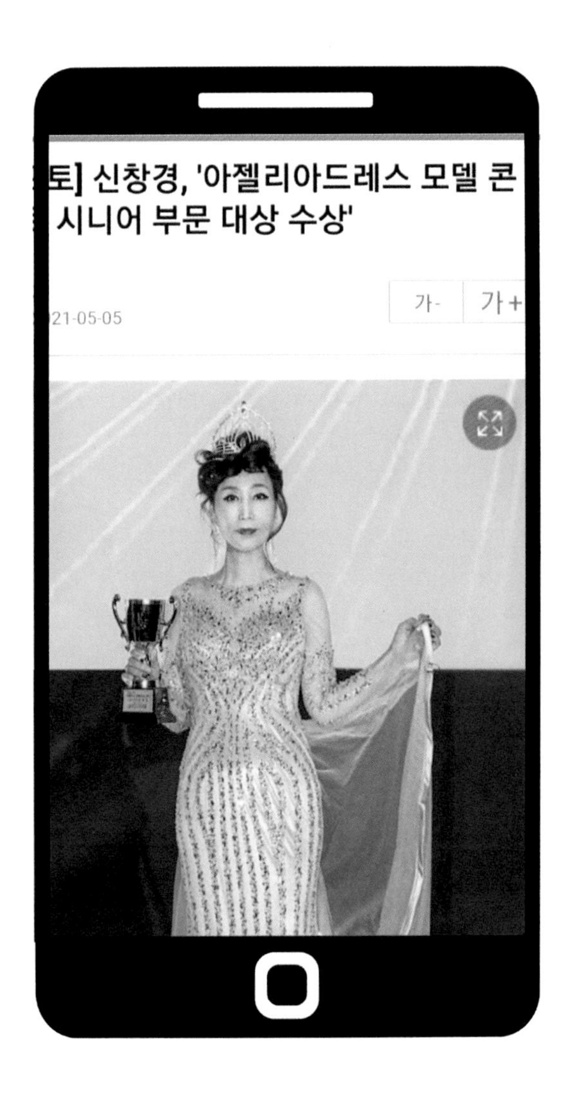
토] 신창경, '아젤리아드레스 모델 콘
시니어 부문 대상 수상'
가-
가+
21-05-05

자연스레 일본어를 배우기까지 했지만, 아직도 어눌하다. 서툰 일어로 많은 교감을 할 당시에 일본의 교장 선생님으로 은퇴한 분께서 나의 일어 발음이 일본 아나운서 같다고 극찬을 해주셔서 무척 으쓱했었다.

70살이 넘은 지금도 1주일에 하루는 서초구 잠원 스포츠 실내 테니스장에서 테니스를 하고 있다. 모임을 만든 지 30년이 넘은 84세 된 회장님과 양정순 전 국가대표 현 한국 여자연맹 전무이사 등 여자테니스의 대모라고 할 수 있는 동호회원들과 노익장을 과시하고 있다.

나의 테니스 사에서 빼놓을 수 없는 이영애 교수는 모든 덕목을 갖추고, 작년에 은퇴하기 전까지 체육학장으로 열정적으로 후학양성하였다. 존경하는 나의 절친이다.

스토리텔러?
그리고 배우…

나는 테니스만이 나의 전부였던 때가 있었다. 나이가 좀 들면서 동적으로만 생활하던 나에게 나를 생각하며 뒤돌아볼 기회가 있었다.

그래서 스토리텔러 자격증 따기로 마음먹고 2급 자격증 취득 후 많은 활동을 하였다. 어린이 도서관, 유치원, 어린이집 등에서 동화책 읽어 주고 그와 관련된 많은 공부를 하였다.

어린이 대공원에서 어린이날이나 주말에 동극을 하면서 현장에서 어린이와 어른들과 호흡을 맞추는 일은 행복한 일이었다.

그중에서도 특히나 인기 있었던 동극은 '색깔 도깨비'였다. 색깔 도깨비는 5색의 (빨강, 노랑, 황색, 검정, 흰색) 옷을 번갈아 입으면서 노래와 춤을 추는 뮤지컬 동극은 관객과 함께 어우러지는 흥겹고 신나는 극이었다.

이 동극을 준비하면서 MBC tv에서 인생 2막이란 프로 제의가 들어야 나의 인생 2막이 된 과정을 찍어 방영하기도 했다.

이즈음에 연기에 관심이 있던 나는 명동 YWCA 연극 수업에 참여하여 허부영 교수님을 만나게 되었다.

첫 수업 때 닉네임을 소개하면서 내가 가장 좋아했던 테니스 선수 '나브로틸로바'의 이름을 말하자, 허 교수님의 제안으로 '여왕님'이 어떠시냐고, 처음엔 나 스스로 여왕님이라고 하는 것이 어색해서 싫다고 했지만, 정말 잘 어울린다고 적극 권해 주셔서 쓰기 시작했다. 지금까지도 허 교수님과의 추억이 깃들어 있는 소중한 닉네임이다.

YWCA 시니어 연극 수업은 정말 즐거웠고, 수료식 날 올린 공연도 남편, 딸, 사위, 손자까지 그리고 지인들이 참석해 많은 박수를 쳐주며 축하해 주던 그 시간도 정말 소중하다.

수료 후 동아리에서 계속 열심히 활동하면서 대학로 소극장에서 공연했다. 역시 이때도 가족들과 여고 동창들이 아낌없는 박수를 보내 주었다. 그 이후로 연극에 대한 갈망으로 여러 곳에서 연기 수업을 놓지 않고 받았다.

그러던 중 시니어 모델 후배 이승연 선생님이 숭실대학교에서 평생교육원에 시니어 연기 수업을 개설하려고 하는데 적임자가 없냐고 물어보자, 나는 허부영 교수님을 추천하게 되었다.

명동 YWCA에서 연기를 배울 때 열정적이고 실력 있는 모습에 감동이 되어 늘 선생님이 잘되기를 마음속으로 빌었던 나다.

그리하여 〈40+시니어 연기예술과정〉이란 학과목 명도 나의 아이디어로 작명되었다.

코로나19가 기승을 부리던 시기였지만 숭실대학교 글로벌미래교육원에 40+시니어 연기예술 과정을 개설하였고 초급, 중급, 심화과정까지 개설하게 되었다.

그 과정에서 어려움을 옆에서 함께 이겨냈다. 허부영 교수님과 이승연 선생을 비롯하여 1기 수강생들이 열심히 마음을 모아 수업이 진행되었다.

1기 수료생들은 전원 현장 진출이라는 쾌거도 이루어 냈다.

그즈음 나는 한명구 영화감독님의 '만해 한용운 님의 침묵'이란 영화에 참여하여 여러 가지 영화배우로서의 경험을 하였다. 한용운이 결혼하던 씬에서 동네 아낙 역과 한용운 생가에서 절친 지인역을 맡았는데 제법 대사가 있었다. 생가가 어떻게 북쪽으로 지어져야 했는지를 설명하는 대목이다. 아직 개봉 전이라 어떻게 편집되어 완성될지는 기대가 되었다. 시사회가 열릴 그날이 기다려졌다.

드디어 23년 7월 초 건국대입구역 롯데시네마 극장에서 시사회를 했다. 시사회에 참석하여 만해 한용운 역 오안진 배우와 사진을 찍고 인도에서 온 인도 여인들과도 사진을 찍기도 하면서 감명 깊게 만해 한용운의' 님의 침묵' 풀버전으로 감상하였다.

영화배우로서 첫 데뷔작을 직접 극장에서 눈으로 보니 감회가 새로웠다.

영화에 만해의 생가에서 독립운동가로 출연하여 '신창경'이라는 이름이 엔딩 크레딧에 올라가는 영광을 누리게 되다니….

지금 현재 이 작품은 인도국제영화제에 출품하여 제5회 STAR FILM&OTT AWARD 2023 감독상을 수상하는 영광을 안았다. 여전히 감독님께서는 나의 안부를 묻곤 하신다.

"건강하세요. 건강하셔야 일할 수 있어요."라고….

여기서 일이란 연기를 할 수 있다는 뜻이다.

그래서 나는 다시 작품에 들어가는 그날을 기다린다.

40+시니어연기예술과정
중급과정 수료공연 및 수료
2021.6.26. 11시 숭실대학교 안익태관 3층 박태준홀 1
#숭실대학교 글로벌미래교육원
#40+시니어연기예술과정 #수료 공연 및 수료식
숭실대학교
글로벌미래교육원
40+시니어
연기예술과정
3월 9월 개강
수강생 모집중
문의
02)828-7309
010-8644-8199
010-4404-1221

내 나이 30대 후반에 KBS tv에서 '이웃집 은이'라는 특집을 찍었다. 김혜수, 정애리 배우가 주연한 작품에서 김혜수 배우의 대역으로 테니스를 치는 모습이 나왔다.

감독님이 테니스 치는 모습이 멋있다고 김혜수와 내가 함께하는 테니스 장면을 더 넣기도 하셨다.

대학 후배인 김혜수와는 각별한 인연으로 촬영 분위기는 더할 수 없이 즐거웠다.

그날 테니스장에는 남편과 아이들이 와서 같이 사진도 찍고, 무비카메라로 촬영 장면을 찍어 지금도 소장하고 있다.

본방송 외에도 명절마다 여러 번 재방송되었다.

나?
시니어 모델!

나의 시니어모델 인생의 시작

인터넷으로 시니어 모델에 대한 정보를 얻은 나는 10년 전엔 하나밖에 없는 '뉴 시니어 모델' 아카데미에서 모델 워킹을 배우면서 모델의 길을 걷게 되었다. 지금은 시니어 모델교육이 너무도 난립되어 있다.

오랜 시간 시니어 모델계에서 꾸준히 교육과 활동을 묵묵히 이어 오고 있는 난 왕 선배가 되었다. 각종 쇼를 하면서 나는 시니어 모델로서의 자질과 긍지를 가지고 시니어들의 바른 자세를 가지고 워킹을 하고, 자신을 가꾸며 활력 있는 삶을 누릴 수 있게 도와주는 일을 하며, 시니어 배우와 모델로 왕성한 활동을 잘 이어 나가며 남은 여생을 살아가려 한다.

〈수상 경력〉

** 금천 구민 문호체육부문 구청장상*

**궁중코리아 아젤리아 한류 슈퍼스타 시니어모델 대상*

** 2021 인터내셔날 밀라노 컬랙션 월드베스트 대상*

** 자랑스런 대한민국시민 시니어 모델부문 대상*

**WTCO 홍보대사 위촉장*

** 카지키스탄 홍보대사 위촉장*

**SMA 시니어모델협회(교육기간)고문 위촉장*

〈자격증 및 수료증〉

**중등수학 2급정교사 자격증*

**스토리텔러 강사 자격증*

**옛날이야기 자격증*

**시니어 SNS플래너 지도사3급 자격증*

*청소년 카운셀러 자격증

* 모델 워킹 강사 자격증

* 40+시니어연기예술과정 수료증

<콘텐츠 관련 경력>

*2018 평창 동계 올림픽 D-50 행사쇼

올림픽 개최 오픈쇼

*2018말레이시아 쥬얼리 초대 한국 궁중복쇼

*익산 문화예술대전 궁중복 패션쇼

*디자이너 이상봉 일본크루즈 선상패션쇼

*2020 마지막황제 순종의 눈물 개천행사 패션쇼

*2022 지리산 삼성궁 개천행사 패션쇼

*디자이너 최우철 인터내셔날 밀라노 콜랙션 패션쇼

*디자이너 김정아 우리한복 화보촬영

*디자이너 박지윤 드레스 화보촬영

*제주 탐라 문화제 관덕정 패션쇼

*사랑해요 대한민국 김선영 한복패션쇼

*2020 SS 서울 시니어 컬랙션

*2021 SS 서울 시니어 컬랙션

*다자이너 유지영 서울역 노숙인 자선패션쇼

*힙합 페스티벌 오픈 패션쇼

*힙합 페스티벌 오픈 힙합댄스

*2023부산세계박람회 부산엑스포 유치기원 궁중복쇼

*2023년4월SMA고문 임명장

*2023년7월5일SMA제1호우대회원추대

23년 3월 29일~30일 1박2일 다녀온 행사는 부산 엑스포가 성대하게 열리기를 기원하며 부산시의 후원으로 김현숙 명인의 궁중복을 입고 행사를 한 의미 있는 쇼였다.

한국문화예술신문사
궁중코리아TV
한류코리아방송
대한민국 독도사랑협회
궁중코리아모델협회
한류월드스타
궁중코리아
뉴월드시니어협회
모델리아 엔터테인먼트
코리아뉴스타임
두리모아
(주)오세니아
빅스타연기학원
한국독도사랑 문화협회
한국친환경운동협회 서울시본부
김덕음악교실
배윤송가요교실
J-one
대한방송뉴스
100주년 기념식

시니어 모델 일을 하며 전국으로 여행하며 쇼를 하고 해외로도 여러 번 쇼를 하러 다녔다.

나는 여행을 매우 좋아한다. 본격적인 여행의 시작은 여고 1학년 겨울방학 때 덕숭산 수덕사의 중고등불교학생회에서 수련대회를 다녀온 때부터인 거 같다. 그 이후로 방학이 되면 전국에 있는 고찰을 다니면서 수련하는 것이 대학교까지 이어졌다.

나는 깊은 역사가 담겨 있는 고찰을 너무도 좋아하고 사랑한다. 지금의 Temple Stay가 그 시절 수련대회와 많이 흡사한 것 같다. 여고를 졸업하면서 친한 친구들 15명 정도가 모임을 하고, 월회비 2만 원으로 모임을 이끌어 가면서 하나둘씩 결혼을 하고 아이를 낳고 하면서 계속 모였다.

그러면서 이민을 가고 개인 사정으로 하나둘씩 빠지면서 현재는 8명이 남아 50년이 넘게 만나고 있다. 초창기 회비 2만 원으로 시작해 41살 되던 해에는 5만 원으로 모아둔 회비로 생애 첫 해외여행을 하와이로 가면서 우리의 여행 일기는 시작되었다.

하와이를 다녀온 직후 회비는 10만 원이 되었고 국내는 물론 해외여행을 2, 3년에 한 번꼴로 서유럽, 동유럽, 북유럽, 크로아티아,

일본, 러시아, 룩셈부르크 3국 등 많은 여행을 했다. 그사이에 자녀들도 결혼시키고 손주도 보면서 해외로 못 갈 땐 국내의 좋은 곳을 1박2일 또는 2박3일 여행한다.

오랜만에 강원도 속초로 울산바위 가까운 설악 델피노 콘도에서 3일을 좋은 경치와 맑은 공기를 마시면서 맛있는 음식과 카페에서 커피와 빵을 먹고 사진 찍고 재래시장에 들러 강원도 전통시장에서 먹거리도 먹고 생선과 젓갈들을 집에서 기다리는 남편을 생각하면서 포장하는 마음이 즐거웠다.

요즈음에는 7년째 몸담고 있는 SMA시니어 모델협회에서 후배들과 동료들과 좀 더 나은 협회가 되기를 바라면서 열심히 미래를 향해서 나아가고 있다. 23년 4월에 고문으로 추대되면서 더욱더 책임감을 갖고 모범이 되는 모델이 되려고 최선을 다하고 있다. 23년 7월 5일에는 제1호 SMA 우대회원으로 특별상을 받는 영예를 안았다.

22년 연말 패션쇼에서 'SMA인상'을 수상한 나는 23년 7월 1일부터 '제1호 VIP SMA인'으로 거듭날 예정이다. 이는 후배들을 위해 더욱더 힘내라는 명예를 나에게 안겨 주었다는 자부심과 긍지를 느끼며 내 인생의 3모작을 다시 써 내려 가보려 한다. 지치지 않는 열정으로 인생 3모작을 위하여 나는 씩씩하게 한 발을 내디뎌 보려 한다.

23년 9월 15일 서귀포문화제야행에서 제주의 신 선방대회가 열렸다. 9신에 뽑혀 가문장의 아기 행운의 여신, 운명의 여신상을 수상하였다.

23년 12월 12일부터 17일까지 〈LA 50주년 한인 축제 K-한복을 알리다〉에 초대되어 SMA시니어 모델 활동과 연결해서 궁중복쇼와 퍼레이드를 했다. 퍼레이드에는 50해 한인 역사에 획을 그릴 여러 가지 의미의 가슴 뭉클한 장면이 연출되어 모두 다 함께 감격을 감출 수 없었다.

나의 3모작은 시작되었다

일찍이 강사 자격증을 취득한 나는 제2의 고향과도 같은 금천구에서 많은 활동을 하였고, 금천구청장상도 금천구 문화체육회 이사로 민주평통자문위원으로도 등등 그래서 나의 시니어 모델로서의 재능기부를 한다는 마음으로 금천구의 시니어들에게 바른 자세 모델워킹을 금천문화원에서 강사로 23년 7월 5일 월요일에 개강하여 첫 수업을 시작한 지 한 달이 되었다.

20대의 수학 교사로 시작하여 지금은 시니어 모델 워킹 강사로 '멋진 당신을 꿈꾸세요'란 타이틀로 열강을 하고 있는 나에게 응원이라도 해주듯 나날이 늘고 있는 시니어 회원들과 함께 '선생님이 천직인 줄 알았지'가 이제 현실이 되어 시니어 모델 첫 입문 때 인터뷰에 했던 말 '걸을 수 있는 그날까지 걷겠어요'가 '걸을 수 있는 그날까지 금천구의 시니어모델의 강사로 선생님으로 천직인 줄 알고 끝까지 가보려 한다.

"나의 3모작은 이제부터 시작이야,
나의 천직 행렬은 지금부터야!
신창경 FIGHTING!"

나의 모든 시간은 열정과 도전으로
잊지 못할 빛나는 순간들로
내가 만들어 가고 있다. 재밌고 신나게!!

릴리.

열정과 도전

"사악한 세상에서 영원한 것은 없다.
우리가 겪는 어려움조차도."

Nothing is permanent in this wicked world
not even our troubles.

다시 꾸는 꿈

나는 진로 강사다. 초, 중, 고등학교와 기관을 다니며 청소년들과 만난다. 진로수업 시간에 자기 탐색과 흥미, 가치관, 인성, 직업 체험 등 자신에 대해 이해하고 탐색하고, 자신의 진로를 고민하고 생각하며, 관심 있는 직업의 간접경험에 도움을 주는 직업큐레이터 강사이다.

유아 시절을 지나 청소년이 되어 꿈을 갖는다는 건, 어릴 때처럼 그냥 무엇이 되고 싶다~ 라는 식으로 그렇게 쉽게 말할 수가 없다. 이 시기 친구들은 생각이 있어도 말로 잘 표현하지 않는다거나, 아직 잘 모르겠어요~ 하는 친구들이 많다.

그래서 만나는 어른들과 선생님이 '너는 꿈이 뭐니?'라고 질문받는 걸 가장 어려워한다. 물론 정확하게 '무엇을 하고 싶어요!' 하는 친구들도 있다. 많은 친구들이 그런 친구들을 내심 부러워하기도 한다. 아직, 내가 무얼 좋아하는지, 무얼 하고 싶어 하는지 잘 모르기 때문이다. 하지만 그건 당연한 것이다.

꿈이 무엇인지 먼저 묻기보다는 관심사가 무엇인지, 흥미가 어느 쪽인지, 이야기하며 자신의 진로나 꿈을 조금 더 생각해 볼 수 있도록 도와주는 것이 내가 하는 일이다. 꼭 청소년 시기에만 그런 것은 아니다. 우리는 누군가 "꿈이 무엇이냐?" 묻는다면 바로 대답하기가 어렵다. 진로란 생애주기별로 모두에게 계속 고민하게 만드는 것이기에, 언제나 자신의 진로를 고민하며 살아간다.

2019년 겨울쯤, 여느 때와 같이 2020년 새해를 맞을 준비를 하며 20년도 강의 스케줄을 잡으며 수업 준비를 했는데, 코로나19가 모든 걸 멈추게 한 시기가 오면서, 수업도 취소되고 2020년도 상

반기에는 아무것도 할 수 없는, 미래를 예측하기도 힘든 시간이었다. 물론 나만 그런 것도 아니고, 전 세계가 멈춘 듯 보였다. 결혼 후 한참을 육아와 일, 공부와 교육 등 바쁘게 지내던 나에게, 많은 생각을 하게 해준 시간이기도 했다.

꽤 긴 시간이 흘러가면서 문득 학생들에게만 꿈을 갖고, 이루기 위한 노력과 성장하기 위한 노력 등을 이야기한 나를 다시 한번 생각하게 되며, 나에 대해 집중할 수 있는 시간이기도 했다. 나는 무엇이 하고 싶을까? 내가 무엇을 할 때 즐겁고 행복하지? 40대에 지금 시작해도 될까? 많은 생각들로 시간을 보내던 중, 내가 관심 가는 분야를 찾아보다가 숭실대에서 '시니어연기예술' 과정이 있다는 정보를 찾았다.

연기? 배우? 이 나이에 무슨 연기를 배워? 그리고 아직 시니어라는 단어도 나에겐 좀 어색했다. 왠지 중년 배우로 보이는 나이는 되어야 하지 않나? 그때가 42살이었으니, 왠지 이것도 저것도 아닌 느낌이었다. 우선 문의를 해보았는데, 40부터가 시니어라고 가능하다는 것이다.

'그래, 우선 일도 언제 다시 시작될지 모르니, 일에 관한 공부가 아닌, 이번엔 정말 내가 해보고 싶은 걸 해보자!' 하는 마음에 바로 등록했다. 지금 생각하면 무슨 용기였는지, 잘 모르겠다. 분명한 건, 그때의 선택에 지금 난 후회하지 않는다는 것이다.

'그래, 한번 해보자! 재밌을 거야~. 해보고 싶었던 거고, 학생들에게만 도전하라고 했는데, 나도 도전해 보는 거야!'

이때부터 살짝 설레기 시작했다. 코로나19로 잠시 일과 일상이 멈춰버렸지만, 새로운 도전과 다시 꿈을 꾸는 것에, 난 설렘으로 개강을 기다린 듯하다. 그렇게 코로나19로 혼란스러운 2020년. 나의 새로운 도전은 시작되었다.

또 다른 나,
부캐 만들기

첫 수업을 들으러 간 날, 나보다 나이가 많은 언니들이 보였다. 너무 멋져 보였다. 나처럼 처음 도전하시는 분들인데, '내가 이 나이에 시작해도 될까?'라고 생각했던 내가 좀 부끄러웠다. 그리고 열심히 배웠다. 연기에 대한 공부는 마음처럼 쉽지는 않았지만, 연극무대와 영상연기가 다르고 몸을 쓰는 방법과 발성부터 정말 나의 모든 습관을 바꿔야 하는 것들이 많았다.

하지만, 재미있기도 하고 에쭈드를 하면서 화난 연기를 할 때는 소리도 지르고 울기도 하면서, 감정에 몰입해서 한다는 것에 속이 시원한 느낌도 받았다. 아, 연기가 이런 매력이 있구나….

수업을 듣고 서로 소감을 이야기하고, 배우면서 익히면서 연습하면서, 그렇게 한 학기가 흘러가고 또 한 학기가 흘러가고, 또 한 학기가 흘러가고…. 프로필도 찍고…. 참, 열심히 한 내 모습과 포기하지 않고 끝까지 해낸 내가, 지금 생각해도 뿌듯하고 또 다른 도전도 할 수 있을 거라는 자신감과 자존감, 효능감도 높아졌던 거 같다. 무엇보다 두 아들에게 열심히 하는 엄마의 모습을 보여 줄 수 있어서 좋았던 거 같다.

그때가 우리 아이들도 코로나로 인해 비대면 수업을 하며 친구들도 못 만나고, 갑자기 달라진 바이러스 세상에서 모든 청소년이 힘들어했으니…. 우리 아들들도 다르지 않았다.

그래도 가끔 아이들이 "엄마 대단해요, 힘내세요, 엄마도 열심히 하시니, 저도 해야죠!" 이런 말을 해줄 때마다 고마운 마음과, '그렇지, 내가 열 번의 잔소리를 하는 것보다 행동으로 나의 모습을 보여 주는 게 더 아이들에게 좋겠구나'라는 생각이 들었다.

그렇게 코로나19와 함께 시간도 2년여가 흐르며, 졸업작품까지 해냈다. 끝까지 포기하지 않고 마친 내가 뿌듯하고, 자랑스럽기도 했다. 이제 진짜 나에게 '배우'라는 부캐가 생겼다.

40대,
지치지 않는 열정과 도전

드디어 2021년. 마스크를 쓰며 우리는 조금씩 일상을 찾아가고 있었다. 학생들도 다시 만나서 수업도 하고, 나의 도전기 경험도 이야기해 주며 이 나이에도 시작했고, 너희는 뭐든 다 할 수 있다고 용기를 주며, 부캐 활동도 열심히 했다. 21년은 정말 나에게 잊지 못할 한 해였다. 내가 데뷔를 할 수 있었던 첫 작품의 무대에 올랐기 때문이다.

生死
옴니버스 백열전
극단대작
8번째 공연

허부영 연출님의 '쇼 머스트 고 온'의 정은이 역, 4명의 여고 동창생들의 추억여행 작품이다. 항상 뭐든 처음의 그 느낌은 평생 잊을 수가 없는 것 같다. 그 떨림과 설렘, 두려움, 그곳의 공기까지 정말 생생할 만큼 지워지지 않는다.

처음 하는 나에겐 쉽지 않은 작품이었다. 함께 하는 배우들은 이미 베테랑 배우들이라, 너무 여유로워 보였고, 나는 모든 것이 처음이라 어색하고 대본도 잘 안 외워지고…. 무대 위, 한 발짝 한 발짝마다 어색했던 나의 발걸음까지 그 떨림과 걱정은 지금 생각해도 아찔하다. 연습 기간도 짧았지만, 그냥 연극도 아닌, 뮤지컬 형식이라 노래까지 해야 했던, 정말 지금 생각해보면, 첫 작품인데, 어떻게 했나 싶다.

정말 나에겐 열정밖에 없었고, 쉽게 생각했던 건 아니지만, 보통 일이 아니라는…. '내가 큰일을 저질렀구나.' 그땐 정말 잠시 도망가고 싶은 생각까지 들었던 것 같다. 하지만 끝나고는 눈물이 날 정도로 뭉클함이 나를 사로잡았다.

내가 시작하지 않았더라면, 도전하지 않았더라면, 살면서 한 번도 느껴보질 못한 이 감정을 느꼈겠는가. 또 살면서 언제 이런 경험과 배움과 감정을 가져보겠는가. 공연이 끝난 후에야 '내가 큰일을 해

냈구나….' 라며 오랜만에 스스로 내적 성취감을 느꼈다. 그렇게 나의 첫 무대가 끝나고 운이 좋게 두 번째 작품에 참여했고, 처음이 있어야 그다음이 있듯이, 다행히 첫 작품 후 조금의 자신감도 붙어서 '이번엔 잘해 보자!'라는 마음을 가질 수 있었다.

두 번째 작품은 김봉기 연출님의 연극 '옴니버스 독백열전- 죽어야 하는 남자'의 이순애 역이었다. 이 작품 또한 많은 걸 배울 수 있었던 시간이었고, 나의 40대는 이렇게 지치지 않는 열정과 도전으로 잊지 못할 순간들을 만들어 가고 있었다. 그리고 지금도 나의 모든 시간은 열정과 도전으로 흘러가고 있다.

늦은 때란 없다!
안 할 뿐이지

이렇게 난 어쩌다 배우가 되었다. 물론 그냥 어쩌다는 아니다. 배우고 노력하고, 그 시간 들을 잘 이겨냈기에 가질 수 있었던 타이틀이다. 21년 어설픈 초보 신인배우가 되어, 힘들게 두 연극을 하고 나니, 시간이 어떻게 흐르는지도 모르게 또 새해가 밝아오고 있었다. 긴 코로나가 점차 익숙해지고, 2022년도가 시작되던 어느 날, 함께 연극 했던 분께 연락이 왔다.

함께 연기 스터디를 해보자고…. 나는 늦게 시작했기에 많이 부족하다는 것을 안다. 그래서 바로 알았다고 하고, 고마운 마음에 열심히 해야겠다는 마음으로 함께 스터디를 하다가, 그 분께서 이번에 단편영화를 만드는데, 그 중 "탁자" 역할을 해줄 수 있냐는 제의를 받고, 난 당연히 참여한다고 했다. 영상 연기도 도전해 보고 싶었기 때문이다.

그리고 아직 많이 부족하고 경력도 많지 않은 나에게는 너무나 행운 같은 일이기 때문에 안 할 이유가 없었다. 보조 출연도 아니고, 대사 한마디 있는 단역도 맡기 힘들다는 것을 배우 세계에서는 너무도 잘 알고 있기 때문이다. 그렇다고 아주 비중 있는 역할은 아니었지만, 몇 씬만 찍어도 얼마나 많은 걸 배울 수 있었는지 모른다.

그렇게 22년 더운 여름날, 땀 흘려가며 찍기 시작한 촬영도 어느새 추운 겨울이 올 때쯤까지, 촬영은 계속되고, 나에게 2022년도는 단편영화 임한호 연출님의 "별똥별"이라는 촬영으로 한해를 기억할 수 있게 되었다. 앞으로도 많이는 아니지만, 이렇게 작은 역이라도, 조금씩 조금씩 할 수 있기를 바래본다.

2023년 올해 봄, 코로나19는 우리 곁에 이대로 자리 잡은 듯하다. 이제 감기처럼 자연스럽게 느껴지는 것처럼 되었다. 마스크도 벗게 되고 일상은 예전처럼 조금씩 변하고 있다. 비대면은 다시 대면으로 돌아가고, 아이들은 학교로 돌아가 다시 친구들과 어우러져 수업을 들으며, 나도 다시 강의를 하고, 일은 점점 많아졌다. 그러면서 나의 부캐도 놓지 않기 위해, 연습하고 활동하려 한다.

올해 난 내가 하고 있는 직업큐레이터 일에 대해 공부가 더 필요해서, 고민하던 대학원에 들어갔다. 시작하기에 앞서 많은 고민과 생각들, 그리고 지금 하는 일에 좀 더 공부가 필요하단 생각은 했지만, 가정이 있고, 고등학생 아들들을 키우며 나에게 더 시간을 갖기는 힘들었다. '애들 공부부터 시키고 졸업하면 하지 뭐….' 라는 생각만 했다.

하지만, 계속 마음속에서는 지금 해야 될 것 같은 생각이 떠나질 않았다. "그래, 1~2년 뒤에 하나, 지금 하나 무슨 차이가 있겠어! 그냥 생각 들 때 하자!!" 하며 원서를 넣었다. 늦게 무슨 또 공부냐, 할 수 있겠지만, 지금 내가 필요하다고 생각이 든다면, 늦은 때란 없다고 생각한다.

누가 알았겠는가, 전공자도 아닌 내가 그것도 40대에 연극을 하고 연기를 할 줄…. 생각만 하고 행동하지 않았다면 일어나질 않았을 일이다.

무엇이든 하고 싶고, 해야 한다는 생각이 들면 바로 행동으로 옮기자! 많이 고민하지 말고, 그냥 바로 하자! 매번 생각만 하고, 막상 하려고 하면, 우리는 스스로 이런저런 못하는 이유와 핑계를 찾고 있다. 그리고 이미 늦었다고 말한다. 시작이 있으면 끝이 있듯이, 시작해서 행동하는 사람은 경험하는 것이고, 실행하지 않는 사람은 생각만 하다 말기에, 그 소중한 경험과 기회를 갖지 못한다.

지금까지 이 책을 쓰면서 지난 몇 년간의 일들을 생각할 수 있는 시간이 되었다. 정리해 보니, 지난 몇 년간 갑자기 꿈을 꾼 것 같은 기분이 든다. 그만큼 오로지 나에게 집중했던 것 같다.

마지막으로 하고 싶은 말은, 누구든 늦은 때란 없다고, 안 할 뿐이라고…. 그리고 우리는 더 시간이 지나면 '그때 할 걸….' 하며 후회한다. 내일 후회하기 전에, 오늘 하자. 언제나 늦은 때란 없으니까! 안 할 뿐이지.

책을 마무리 지으며, 나의 사랑하는 가족들에게 감사함을 전합니다. 항상 응원해 주고 도와주고, 언제나 내 편이 되어주는 나의 남편 최승기 씨와 두 아들 윤식이 민식이, 항상 건강하길 바라며 정말 사랑합니다. 엄마도 너희의 꿈과 도전을, 언제나 응원해!

저와 함께 해주신 모든 분께 감사드리며, 저에게 항상 용기와 사랑으로 힘을 주시는 꿈마니 협동조합 선생님들, 사랑하는 나의 친구들, 내 마음의 안식처 '티나모임' 힘들 때마다 밥 잘 사주는 언니 같은 친구 한진희, 언니 같고 친구 같은 동생 아현이, 이 자리까지 올 수 있고, 도전할 수 있도록 해주신 이승연 선생님과 허부영 교수님 감사합니다. 모두 건강하길 바라며 감사한 마음을 담아 이 책을 마칩니다.

나는 늘 무대에 선다.
내가 딛는 그 자리는 무대였다.
그렇게 나는 내 삶의 주인공.
나는 마리아.

나는 마리아

"실패는 중요하지 않다.
자신을 조롱하기 위해서는 용기가 필요하다."

Failure is unimportant. It takes courage
to make a fool of yourself.

무작정
달려왔다

일하기를 싫어하는 나는 어려서부터 '꽤'라는 글과 무척 친하게 지냈다. 부모님과 언니 오빠 나 여동생 집에 여자가 4명이다. 빨래 한번 해본 적 없고 요리는 물론 설거지는 절대 하지 않았다. 이사를 할 때면 일하기 싫어 친구집에서 여러 날을 머물렀고, 하물며 레스토랑이라는 곳에서 DJ를 하며 한 달씩 가출을 한 적도 있었다. 정말 일하기 싫다. 게으른 것이 아니라 그냥 일하기가 싫었을 뿐이다.

그러나 나는 세상에 발을 내디뎌야 했고, 공부를 해야 했으며, 그렇게 하기도 싫은 일도 해야만 했다.

22세가 되던 해에 유학을 결심하게 되었고 일본 와카야마라는 곳에서 대학에 입학하여 1년의 어학연수를 받고 디자인학과에 편입하여 3년을 고생 끝에 겨우 졸업하고 무려 13년이란 세월을 일본에서 생활하였고, 그 후 한국에 돌아오자마자 직장을 다니며 일을 했다. 정말 일하기 싫었다.

하지만 일을 하지 않고 그냥 의미 없는 나의 생활은 용서가 되지 않았다. 그래서 내가 선택한 것은 결혼이었다. 남편이 벌어다 주는 돈으로 편히 먹고 놀고 가정을 꾸리며 살 작정이었다. 그런데 "젠장!" IMF가 터지고 "에이, 내 팔자야."

그때 모든 기업은 물론 세계 경제가 엉망이 되어 버리고 많은 기업들이 직원들을 정리하게 되었고 나의 남편이 명퇴하게 되었다. 결국 나는 일을 안 할 수가 없었다. 다시 달려야 한다. 앞만 보고 또 무작정 달려야 했다.

인간 이승연 너는 누구니?

무엇을 위하여 나는 존재하나?

몇 번이고 물어보지만, 아무 의미도, 답도 나오지 않는다. 어김없이 아침 7시 음악 소리와 함께 자명종이 울린다. '아! 하루가 시작되는구나!' 이대로 그냥 잠에서 깨고 싶지는 않지만, 오늘도 할 일이 산더미만큼 많다.

나는 특기가 없다. 꾀꼬리처럼 노래를 잘하지 못하고 아나운서처럼 언변도 능숙하지 못하며 그림도 잘 못 그리고 악기도 다룰 수 있는 게 하나도 없다. 그렇다고 노는 것도 잘 못한다. 특기가 없다는 것이다.

그래도 나의 삶을 위하여 달리고 또 달린다. 나의 주변에는 훌륭한 지인도 많다. 그렇지만 어려운 일이 있어도 도움이나 부탁 한번 해보지도 못했다. 그래서인지 나도 모르게 자신을 무능력자로 낙인 찍고 있었다. 늘 그러했다. 목적도 없이 달리기만 했었던 것이다, 내 인생에 게으름 피지 않고 착실하게 살아왔던 것은 사실이다.

그래, 열심히 달리다 보면 종착지는 오겠지. 승리의 깃발을 휘날리며 난 그대를 응원할 게. 희망을 넘어 성공으로 갈 때까지 어떤 목적을 두지 말고 따뜻한 가슴으로 나를 아는 모든 사람에게 희망의 종소리가 되고 싶다. 내 인생의 종착지 올 때까지~~

하쿠나마타타
(잘될 거야)

내일은 잘되겠지라는 마음으로 오늘을 살고 있다. 늘 희망 속에서 성공으로 이끌어 가는 길을 찾아 헤매고 있다. 어느 만화의 여주인공처럼 "괴로워도 슬퍼도 나는 안 울어 참고 또 참지, 울긴 왜 울어." 입으로 중얼거리며 어떤 여주인공의 만화주제곡으로 위안하며 헤치고 견디며 이겨왔던 세상을 이겨 왔던 것 같다.

'잘될 거야.'라는 말 한마디는 나에게 희망의 메시지이다. 긍정적인 마음으로 하루하루 살아가려고 노력하는데 그렇게 산다는 것도 쉬운 일은 아니다. 때로는 포기 하고 싶기도 하고 다 던져버리고 좌절도 했지만 이대로 포기하기에는 너무 나약한 내 모습이 그리 좋아 보이지 않았다.

"가~즈~아~! 갈 때까지 가 보즈~아~!
이 악물고 힘껏 가보자!
희망을 넘어 성공으로 가보자."

종교적 이야기는 하고 싶지는 않지만 해야 할 듯하다. 우리 가족은 가톨릭교회 성당에 다닌다. 가톨릭교회에서는 아이들이 초등학교 3학년이 되면 첫영성체라는 교육을 받는다. 이는 처음 주님의 성체를 모시기 위한 교육이다.

나의 딸이 첫영성체 교육을 받아야 하는 시기가 되었다. 시간은 빠르게 흐르고 딸아이가 초등 3학년이 되어 1년 동안 교육을 받게 되었고 그때부터 모든 생활을 딸아이의 시간표대로 움직여야 했고 성당에서 있는 시간이 많게 되었다. 열심히 영성체 교육을 끝내고 성스럽게 아이들은 영성체식을 하게 되었고 그 후 수녀님의 권유로 내생의 처음으로 보직을 받게 되었다.

성당초등부 자모회장을 맡게 되었고 자모회장을 하면서 조시몬 주임 신부님의 권유로 바리스타 교육을 받고 성당 카페 하랑에서 자모회 임원을 함께하던 자매님들과 모두 바리스타 봉사를 시작했다. 내가 가슴으로 사랑하는 자매님들이다. 그들과 함께하는 시간은 내게 있어 최고의 행복이고 편안한 안식의 시간이었다.

그러나 그렇게 지내는 즈음에 나의 아들이 북한도 무서워한다는 중학 2년생이 되었다. 하루가 멀다고 아들이 사고를 쳐서 미사 도중 학교에 뛰어가고…. 그것뿐인가 경찰서 가정법원 등…. 경찰서를 너무 많이 가서 경찰분들에게 "***엄마입니다. 국회의원 나가면 꼭 한 표 찍어 주세요."라며 마음을 달래곤 했다.

그러면서 힘들게 중학교도 겨우 졸업하고 고등학교도 들어보지도 못했던 학교였다. 그래도 어쩔 수 없이 그 학교라도 보내야 해서 겨우 입학하였다. '아, 정말 힘들다.' 아들 녀석이 배울 게 없는 학교라며 결석을 밥 먹듯 하여, 엄마인 내가 매일 교장 선생님과 면담해야 했다. "나 원 참, 엄마가 학교에 가는 건지?"

그렇게 3학년 대학 입시 준비를 해야 할 날이 왔다. 어떻게든 대학을 보내야 할 것 같아서 대학에 가라 했더니, 아들은 공부도 하기 싫은데 뭐 하러 대학에 가냐며 안 가겠다고 화만 내는 것이었다. 아들에 대한 절망 나는 낭떠러지로 계속 추락하고 있었다.

하지만 포기할 수 없다. '나는 우리 아들의 엄마다. 포기하지 말자. 내 아들을 기다려 주자 잘될 거야.'라는 희망을 갖고 기다려 주자.

내 마음을 다스리며 묵묵히 지내오며 그러던 어느 날 학교에서 돌아와 급하게 "엄마" 하면서 하는 말 "엄마, 오늘 학교에 가서 아이들을 보니, 저 애들이 사회에 나가서 무엇이 될까 생각해 보니 어떤 존재의 가치도 없어 보이는 것들…. 나도 그중에 하나인 게 싫어서 대학 수시를 넣겠다."는 것이다.

아들에게는 수시를 보라고는 했지만, 출석률이 저조하여 졸업도 어려울 듯한데 어떻게 대학에 갈까 생각 했지만, '내 아들은 매번 운이 좋으니 잘될 거야.'라며 혼자 중얼거리며 서너 곳 대학에 수시를 넣었다. 발표 날 수험번호를 찍을 때마다 불합격, 불합격, 계속 불합격….

그리고 사흘 뒤 마지막 한 곳 안*대가 남았다. 안*대 발표 날 날씨도 무척 좋았고 성당 자매님 두 분과 내가 존경하는 신부님을 뵙고 집에 돌아가는 길 차 안에서 발표 문자가 왔다.

심장이 뛰기 시작했다. 빨리 집에는 가야 할 텐데 교통이 혼잡하여 정지 상태이고 가슴을 졸이며 겨우 집에 도착하여 아들 방을 활짝 열어보니 아들은 자고 있었다.

"아들! 일어나 마지막 대학 발표야. 직접 네가 열어보렴!" 아들이 떨려서 열 수 없다며 조심히 사이트 창을 열었는데, "빰빰빠, 빰빠, 빰빰빠, 빰빠. 축하합니다. 축하합니다!" 음악이 흘러나와 아들과 나는 귀를 의심하며 재확인했다. 아들이 302번째이기 때문에 기대조차 할 수 없었다. 합격이다. 분명 합격이다.

"아! 감사합니다." 눈물을 흘리며 기적에 감사하며 긍정적인 말 한마디 "잘될 거야. 하쿠나마타타!" 큰 소리로 외쳤다.

나의 딸 또한 대학에 가기 위하여 어렸을 때 좋아했던 피아노를 몇 년 동안 쉬고 있다가 다시 시작한 피아노가 그리 쉽지는 않았다. 슬럼프도 있었지만, 정시로 네 군데 대학에 모두 합격하여 4관왕이 되었다. 비록 성에 차는 대학은 아니었지만, 긍정적인 마음으로 대학에 진학했다.

내 아들과 딸은 귀중한 나의 보물이기도 하지만 나를 살게 한 제2의 나의 인생이다. 나는 마리아다. "사랑한다, 마리아."

까르페 디엠 (Carpe Diem)

Mamanto Mori　네 죽음을 기억하고

Amor Fati　네 운명을 사랑하고

그리고

Carpe Diem　현재를 즐겨라.

지금껏 걸어온 길을 뒤 돌아보았다. 누구나 그렇겠지만, 뒤돌아보면 후회투성이일 것이다. 좀 더 노력해 볼 것을, 차라리 하지 말 것을, 참고이기며 견디어 볼 것을 등등 후회의 연속이다.

후회한들 지나간 것은 지나간 대로 그냥 그렇게 묻혀간다, 앞으로의 나의 미래를 생각하니 겁부터 나기 시작한다. 나이가 60이 되도록 가진 것도 없고, 특별한 일도 없고, 사회의 정년이 되면 무엇을 해야 할지 겁부터 나기 시작한다.

나의 하루는 무의미한 상태로 계속 그렇게 흘러가고 있다. 세월만 까먹고 있는 나의 미래의 불안정함은 어떤 방법, 어떤 모습으로 버텨 나가야 하는가? 밀물이 있으면 썰물이 있듯이, 내리막길이 있으면 오르막길이 있듯이, 오늘이 썰물처럼 광량하다 해도 낙심하지 말자. 곧 밀물 때가 오리라.

현재가 암흑이라도 포기하지 말자. 곧 동은 트니까…! 아무런 생각 말고 현실에 충실하자. “까르패디엠” 오늘을 잘 살아야 내일이 있다. 하고 싶은 거 하고, 먹고 싶은 거 먹고, 즐길 수 있으면 즐겨보자. 어느 여름날 뭔가 새로운 것을 찾기 위하여 문화센터를 기웃거렸다. 어디선가 들려오는 음악 소리가 왠지 즐거워서 음악 소리를 쫓아서 문화센터 2층으로 갔다.

문을 살짝 열고 빼꼼히 들여다보니 나이가 좀 들어 보이는 50세 이상의 여인네 들이 재 각기 뽐을 내며 넓은 강당을 오가고 있었다. 요즘은 시니어시대 라는 말이 실감 나게 하는 시니어모델 워킹 수업을 하고 있는 것이었다. 호기심이 나서 살짝 안으로 들어가 시니어들의 워킹수업을 지켜보고 있었다.

그때 워킹 강사 같은 분이 반기며 들어오라 하였다. 기쁘게 반기듯이 내 앞에 와서 시니어모델에 도전 한번 해보라는 것이었다. 나는 깜짝 놀라며 "어머나 제 키가 160도 안 되는데 무슨 모델을 하라는 것인가요?" 절대 못 한다며 꼬랑지를 내리며 구경만 잠시 하고 가겠다고 하며 웃기만 하였다.

멋지게 펼쳐지는 시니어들의 워킹 모습이 아름다워서 그들에게 박수를 치며 찬사를 보냈다. 신이 나서 열심히 음악을 들으며 그들의 발길만 쳐다보고 있는데, 눈에 띄는 한 분이 있었다. 신장이 나보다 작다면 작을는지? 나만 한 키에 날씬한 분께서 10센티미터 이상 되는 높은 구두를 신고 워킹을 하며 내 앞에 다가왔다.

"절 보세요. 저는 키가 작고 왜소하지만, 지금 현재 모델 활동을 하고 있어요." 하며, 시니어는 키도 몸매도 아니라고 하며 끼와 개성만 살리면서 독특한 시니어만의 멋을 보여주면 된다고 하며 모델을 해보라고 계속 권유를 하였다.

솔직히 나는 자신이 없어 하며 " 참 즐거워 보이네요. 한 번 더 생각해 보겠습니다." "나는 키가 작은 것에 콤플렉스가 있어서 모델은 자신이 없네요." 하고는 집으로 돌아왔다.

사실 나는 어려서부터 패션에 관심이 많았다. 옷 사는 것을 좋아했고 액세서리와 신발 등 몸에 치장하는 것들은 전부 좋아했다. 지금 역시도 옷에 욕심을 부리고 멋을 내는 것은 지금도 너무 좋다. 그리고 화장하는 시간이 제일 행복하다.

화장하는 것을 생각하니 선종하신 울 엄마가 생각이 난다. 내가 어렸을 때부터 봐온 울 엄마의 하루 생활의 시작은 이러했다. 아침 일찍 일어나서 처음 하시는 것은 물도 한 잔 마시지 않고 양치와 세수를 하셨고, 거울 앞에 앉아 머리에 구리퍼를 동그랗게 말아 올리시고 얼굴에 연지곤지를 찍어 바르시며, "여자는 제일 먼저 꽃단장을 하여 예쁘게 가꾸고 하루를 시작하여야 한다."고 하시며, 아침이면 거울 앞에 앉아 계시던 내 어린 시절 엄마의 모습이 너무도 그리워진다.

엄마가 선종하신 지 벌써 12년이 지났다. 그런데도 지금껏 엄마의 기억이 너무도 생생하다. 또 너무도 생생한 기억이 있다. 꽃게의 철이 오면 이른 아침 새벽부터 예쁘게 단장하고, 노량진 수산시장에 가서 묵직하고 살이 꽉 차고 힘이 세고 팔딱팔딱 뛰는 꽃게를 한 박스 사 오셔서, 내가 제일 좋아하는 간장게장을 만들어 주시던 엄마의 기억들이 새록새록 되살아난다.

이제는 더 이상 울 엄마 한숙 여사를 만질 수도, 느낄 수도 없다. 그냥 기억 속에 남아 있는 것뿐이다. "그래 인생 뭐 있냐?" 흔히 말하지만, 사실 자신을 위하여 시간을 만들거나 돈을 쓰지도 못하고 이 세상을 떠나는 사람이 대부분이다.

'정말! 인생 뭐 있냐? 오늘 하루도 못 하면서 내일이 무슨 소용 있어. 하루하루를 잘 살아야 의미 있는 거지. 자신 있게 현실을 즐겨야겠다.'

하루를 마무리하고 잠자리에 누워 이런저런 생각을 해보니 어차피 와야 할 것은 오고 가야 할 것은 가는 것 아등바등 살 필요는 없다. 건강할 때 나를 사용하자. 하고 싶은 거 먹고 싶은 것 가고 싶은 곳 만나고 싶은 사람 전부 다 누리며 살자 2012년 어느 가을 마음을 굳게 다짐하고 다시 문화센터를 찾았다.

저번에 관심이 있었던 시니어모델 수업에 자신 있게 내 인생 2막에 도전장을 내밀었다. 첫 수업 시간 볼품없이 살찐 내 모습에, 높은 구두를 신은 거울 속 나의 모습은 너무도 볼품없고 망측하기만 했다. “흑, 흐 흑 흑” 이 모습으로는 모델의 ‘모’짜 미음도 못 내밀어 보겠다는 생각에 다이어트를 시작했다.

하지만 내가 정말 좋아하고 사랑 하는 다이어트에 쥐약이라는 내 ‘주’임을 버릴 수 없었다. 매일 밤 ‘주’님과 함께해야 하는 나는 다이어트를 그만 포기 하고 싶은 마음이 몇 번이고 들었다. ‘아…! 이런 어렵게 시작한 시니어모델 입문….’

나에게는 혹독하고 험난하기만 하다. 자세 교정을 하려 하니 등은 굽어 있고, 다리는 벌어져 있고 모델로서의 기본이 전혀 갖추어져 있지 않은 나는 계속 무리하게 모델 도전을 할 수 있을까? 복잡한 마음에도 미련이 남는 건지 매 주일 모델 수업에 참여하고 있었다.

그렇게 6개월이 되어서 처음 이브닝드레스 패션쇼에 참여하게 되었다. 내 첫 무대는 코엑스에서 주관한 나라사랑 박람회였다. 첫 무대에서 많은 칭찬을 받았다. “50이 넘었고 작고 통통한 몸이었지만 귀엽고 예쁘다.”는 말에 자신감을 갖게 되었고, 멋있게 폼을 잡으며 워킹하는 시니어모델로 잘 익어가고 있었다. 시니어 모델들은 말 그대로 전부 나보다 연세가 많아서 난 그곳에서 막내가 되었다.

그렇게 몇 년이 지나고 나는 러시아에서 오신 교수님께 연기를 배우고 연기를 시작하게 되었고 어느 엔터테인먼트에 소속이 되어 광고 연기 활동을 하며 한국예술인총회 협회 소속 시니어모델 제1기로 위킹에 제 도전을 하였고, 계속 연기 공부를 하면서 여러 활동에 전념하였다.

그렇게 5년이 흘렀고 S대학 글로벌 미래 교육원에서 시니어 대상으로 연기를 가르치기로 결심하게 되어 허부영 교수와 함께 40+시니어 연기예술 과정을 개설하게 되었다.

내가 시니어 수업을 개강하게 된 동기는 내가 주임교수가 되기까지 늘 옆에서 조언과 응원을 해주시는 S대학 '조' 교수님 덕분에 또 하나의 나의 인생이 펼쳐진 것이었다. 수업 개강을 위하여 시니어 학생을 모집해야 했다. 수강 모집을 하니 생각지 않게 많은 분이 수강 신청을 하여 27명쯤 되었다.

연기 수업은 인원이 너무 많으면 수업 시간이 부족하기 때문에 반을 두 개로 나눠야 했다. 그런데 이게 "웬일?" 중국 우한이라는 곳에서 코로나라는 바이러스가 퍼지기 시작했고, 세계적으로 모두가 심각한 상태가 되어 사람과 사람의 만남이 통제되었다. 모든 단체는 물론 학교와 신앙 집단 등 단체 활동이 금지되었다.

사태가 무척 심각하게 되었다. 학교 수업은 비대면 수업만 해야 한다는데 연기 수업은 실기 위주의 수업이라 비대면 수업으로 진행할 수가 없었다. 대면 수업이 어렵다고 하니 27명의 시니어 학생이 한 명씩 빠져나가기 시작하여서 겨우 10명 남짓했다.

큰일이다. 어떤 방법을 찾아서라도 대면수업을 해야 하는데, 어떤 방법이 없었다. 나는 철저한 방역으로 수업을 하겠다고 학교에 수업 개강을 주장 하였지만, 학교 측은 교육부 지침이라 하며 대면수업을 허락하지 않았다.

그렇게 한 학기가 그냥 지나갔다. 어떻게 하던 수업을 진행해야겠다는 신념으로 학교 측에 대면수업을 요구하였고 마침내 한 학기를 보내고 가을 학기에 10명의 시니어 학생과 수업이 시작되었다. 철저한 방역으로 서로를 조심하며 수업하여 강의실 안에서는 어떤 사고도 없이 코로나를 극복하고 제3학기까지 무사히 수료식을 할 수 있었다.

그래도 코로나는 계속되었고 사람들은 모두 긴장 속에서 생활하였고, 제2기생 모집에도 성공하여 수업은 계속 진행할 수 있었다. 그래! 즐겁게 살자. 오늘 하루도 내게 주어진 선물이라 생각하며 이 선물에 감사하며 하루를 잘 살아야 한다.

나에게는 5살 위의 언니와 3살 아래 여동생이 있다. 우리 세 자매는 늘 함께 생활한다. 남들이 부러워하다 못해 질투할 정도로 사이좋은 언니와 동생이 있다. 사업을 함께해서 늘 함께 있어야 한다. 그래서 하루도 떨어져 있었던 날이 없었다.

모든 생활을 함께하고 여행도 물론 함께한다. 언니와 동생과 함께 여행하면 솔직히 집 생각이 안 난다. 애들이 무엇을 하는지? 밥은 먹었는지? 아무런 생각조차 하지 않고 내가 누구인지를 잃어버린다. 언니와 동생은 가족이기도 하지만 특별한 인연인 것은 분명하다. 우리 자매들처럼 이리도 애절하게 생각하며 매일 함께 생활한다는 것을 어느 누구도 이해할 수 없을 것이다.

어떤 사람들은 우리에게 진짜 자매이냐고 하며 내기를 걸어와서 호적등본을 보여 준 적도 있고, 어떤 사람은 금방 자매라는 것을 알아보는 사람도 있었다. 사람들이 보는 눈이 다 다른 것이다.

나의 자매들은 제각기 개성이 정확했고 자신을 위해서 늘 자신들의 삶에 노력했다. 긍정적인 마음으로 소중하게 서로를 아끼고 사랑하며 지금까지 싸우지 않고 함께 잘 지내고 있는 모습이 모든 사람들로 하여금 신용을 얻게 되었다.

그 덕분에 어려웠던 그 모든 세월을 잘 극복해 왔던 것 같다. 내게 진정 중요한 것은 현재의 나의 삶에 늘 함께 응원해 주는 이들과 내게 희망의 끈을 놓지 못하게 옆에서 부디 치며 나를 자극 시키는 가족들이 내게는 제일 중요한 것이다.

내가 가슴으로 사랑하고 지켜줘야 하는 지나, 왕국이, 정준, 윤아, 유준 그리고 내 배 아파 나온 민용이와 은서, 나의 예쁜 새끼들…. 그들에게 끊임없이 행운과 사랑을 줄 수 있도록 하루하루를 뜻있는 삶의 그림을 그릴 수 있도록 살아야 한다는 나의 마음 다짐이나.

내 주위에는 바람 속의 먼지처럼 매일 많은 사람이 나를 스치고 지나가기도 하고 때로는 서로 명함을 주고받고 인사하는 사람들이 너무도 많다.

그렇지만 그중에서도 나와 함께 가야 할 인연이 있다. 다른 모습 다른 장소 여러 모습으로 만난 인연이 있다. 인연이라 해서 모두 나의 짝은 아니지만 운명적으로 이 세상 끝 날까지 함께해야 할 인연인 것 같다.

성당에서 자매로 인연을 맺은 하랑 카페 봉사로 만난 사람들 그 분들께도 감사한다.

나를 아껴주는 사람들 모두 다 건강은 물론이고 오래도록 변함없이 잘 살아 줬으면 하는 나의 간절한 소망이다. 그 모든 것을 지켜주고 사랑하는 나는 마리아다. 진정 마리아처럼 욕심 없이 모든 것 비우고 순간을 감사하며 잘 정말 잘 살아야 한다는 마음뿐이다.

나는 약속 한다. 내가 살아있는 그날이 마지막이 될 때까지 내 영혼을 팔아서라도 나의 사랑은 지킬 것이다. 사랑한다. 마리아 말이야…. 나는 그래서 '까르페디엠'이다. '까르페디엠' 현재를 즐겨라…. 내일은 내일의 시작이 있다. 내생에 오늘이 최고로 소중하다.

PyeongChang 2018

"영화는 유행이다.
관객은 무대 위의 살아있는 배우를 보길 원한다."

Movies are a fad.
Audiences really want to see live actors on a stage.

자격증 따기, 악기 배우기
패션쇼 연출에 배우까지
타고난 하고잽이라
아직도 도전 중인 로렌.

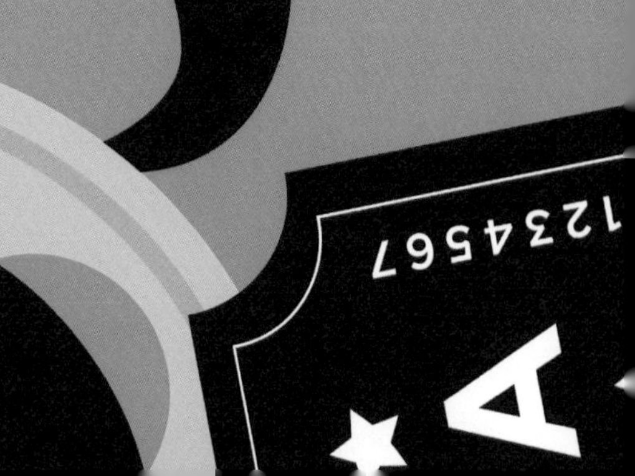

배우 최이윤

"배우는 거부 당하기 위해 헤맨다.
거부 당하지 않으면 스스로를 거부한다."

Actors search for rejection. If they don't get it they reject themselves.

버킷리스트를 작성하다

극심한 스트레스로 온몸이 망가져, 불구가 되어가는 것 같다.

작은 물건 하나도 들 수 없게 무기력하고 힘이 없다.

이제 고작 중학생, 고등학생이 되었는데….

이 꼴로

딸들에게 짐만 되어버리면 어떻게 하나….

너무나 두렵다….

어린 나이에도 혼자 힘으로 다해내는 나의 딸들 앞에서….

대학을 입학 하자마자 곧바로 아르바이트를 몇 개씩이나 뛰어가며 쉬지 않고 일해 자기들 앞가림을 해 나가는 똑 부러지고 한편으론 한없이 측은한 아이들의 모습을 보며 심신이 피폐해지는 모습으로는 결코 나 자신이 당당할 수 없다.

그래! 남편하고는 너무 맞지 않으니 혼자 자립해 살 수 있도록, 살아가는 데 필요한 자격증을 최소 3개 이상은 따보자!

정원 가꾸기를 좋아하니 먼저 조경기능사 자격증을 도전해 보자. 공부를 싫어하는 나로서는 무척 힘든 과정이 될 것이다. 하지만 반드시 이루리라 스스로 다짐을 해본다. 교수님 면담을 시작으로 입학 허락 통지서를 받고 가뜩이나 아침잠이 많은 내가 새벽같이 일어나 식구들 식사를 챙겨놓고 학교로 향한다.

오전 9시부터 오후 4시 반까지 이태리 조경, 영국, 중국, 일본 정원 역사에 이르기까지 이론 수업과 나무심기, 전정, 석판깔기, 지지대 세우기 등 실기교육을 받는다. 수없이 반복되는 뜨거운 여름날의 야외수업이 너무나 힘들었지만 나름대로 참고 견뎌내며, 결국 조경기능사 자격증을 따냈다.

담당 교수님께서도 축하해 주시며 나는 절대로 끝까지 가지 못할 줄 알았다고 (아마도 외모에서 풍기는 조금은 화려한 이미지 때문에 그리 생각하셨나 보다) 하신다. 그럼에도 너무 진지한 내 태도를 보고 입학을 허가했노라 하시면서 참 대견하고 놀랍다고 칭찬해 주셨고, 내 스스로도 사뭇 뿌듯하고 기뻤다.

앞으로는 그 어떤 일이라도 먼저 안 될 거라 미리 포기하고 시작조차 못 해보는 일은 결코 없을 것 같다. 매사 최선을 다해 노력해 보다가 도저히 안 되겠다 판단되면 그때 가서 포기하든, 내려놓든 해야, 다시는 미련이나 후회는 없을 것이다.

나는 조경기능사 자격증으로 새롭게 태어난 것 같은 자신감과 희망과 용기를 얻었다. 내가 꾸며 보고 싶었던 소공원 도면을 그려보면서 행복한 시간을 보냈다.

돌이켜 보면, 늘 전원주택을 꿈꾸던 시기에 때 마침 서울의 끝자락 마을 우이동에 대지 80평에 좀 낡았지만 2층 건물이 달린 주택이 저렴하게 나왔다. 평지임에도 야산이 바로 코 앞이다. 앞, 뒤뜰이 넓어서 그야말로 언제나 바라던 전원주택을 갖게 되었다. 얼마나 감사하고 신이 나던지….

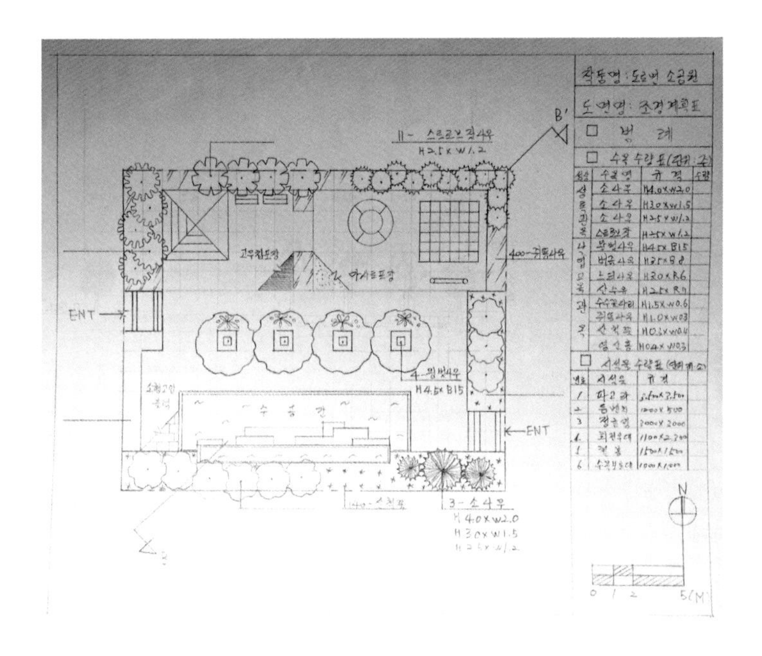

뒤뜰에 대추나무가 오갈병이 걸려 제대로 대추가 안 달린다. 여기에 능소화를 올렸더니 너무나 예쁘게 변했고 한켠에는 장독대를 만들어 포도주, 매실을 담고 또 커다란 나무 평상도 짜놓고 다른 한쪽에는 상추, 고추도 심고 앞뜰 쪽에 있던 커다란 향나무도 향작이 좋지 않아 또 능소화를 올리고 줄지어 늘어선 회양목을 깔끔히 다듬고 대문과 현관 사이 여백의 공간에 제법 큰 연못을 만들어 비단잉어도 키워보고 분수도 설치해 틀어놓고 비치파라솔도 놓아 나름대로 멋진 분위기를 만들어 커피 한잔 마실라치면, 그 분위기로 세상을 다 가진 듯 행복했다. 살짝 열린 대문 사이로 지나가던 행인들의 놀라 탄성을 내는 모습을 뿌듯하게 즐기기도 하였다.

하지만 그 작은 행복도 그리 오래가지는 못했다. 이런저런 사유로 인해 그렇게도 온 정성을 다해 가꾸고 꾸미고 한 그 집이 나에게서 떠나가고 말았다.

말 그대로 홀로서기를 위해, 나아가 딸들의 미래가 중요하기에 당시 사돈 되실 분에게 집을 부탁드렸더니 노원구 월계동 쪽에 28평 정도 되는 신축 빌라를 소개해 주셨다. 우이동 큰 집을 떠나 빌라로 이사를 오던 날, 이삿짐센터 아저씨조차 "대체 어쩌다 그렇게 큰 집에서 이곳을?" 하며 말을 잇지 못하시고 마음 아파하신다.

비록 나와 딸아이 둘, 여자만 셋이라 단독주택보다는 방범에 유리한 공동주택인 빌라를 선택한 것이니 나중에 여건이 좋아지면 다시 마당 있는 집으로 옮기면 되는 거지 하며 스스로 마음을 추스르고 짐 정리를 하는데 결국 큰 딸아이가 힘이 들었는지 불만을 터뜨리기 시작한다.

나도 덩달아 감정이 북받쳐 올라 배란다 유리를 쳐 깨뜨리고 발로 짓밟기 시작하자 거실 바닥이 피범벅이 된다. 바뀐 환경 탓인지 아이들이 특히 똑 부러지던 작은 딸아이가 어눌해지는 것만 같아 마음이 무겁다. 그나마 큰 애야 남자 친구가 있어 걱정이 덜한데 자존심 강한 둘째가 스스로의 자립을 위해 무던히도 애쓰는 모습이 너무나 안타깝고 미안해 가슴이 미어진다.

생활을 위해 매입하여 운영하려던 모텔 구입 건도 잘못되어 시작부터 일이 틀어지고 말았다. 게다가 남편하고 헤어지고 셋만 남은 집안은 휑하니 썰렁하고 분위도 너무 무겁다. 애들이 점점 말수가 줄어든다.

그런 와중에 또다시 터진 악재!

지금은 고인이 되어버린 절친이 “반포에서 수유리까지 왔는데 한잔해야지~.” 기운 빠져있는 날 위로해 주러 일부러 와 준 걸음일 것이다.

반가워 한잔하고 있는데 아이에게서 전화가 왔다.
“엄마, 2백만 원만 빌려줄 수 있어?”
“왜?”
“비행기 티켓을 배송하다가 잃어버렸어.”
……

턱 하고 숨이 막힌다. 울음이 터졌다.

작은딸에게 너무나 미안하고 부끄러웠다.

큰딸도 아르바이트를 시작했다고….

마음이 더욱 무거워진다. 바뀐 환경 탓에 기댈 곳이 없어졌다는 두려움이 자신들의 앞날을 스스로 개척해 나가야 한다는 심적인 압박감으로 다가오는 모양이다, 힘이 들어 그런지 두 딸 모두 말수가 더 줄어든다.

각자가 다 힘들다. 그렇게 한 달을 채워 받은 1백만 원의 알바비에서 세상에나 98만 원짜리 멋진 캐시미어 코트를 사 들고 들어선다. 아깝지도 않은지 희색이 만연하여 환하게 웃는다. (지금도 그 귀한 의미가 있는 코트를 고이 간직하고 있다.)

워낙 센스도 있고 감각이 남다른 녀석이라 아직도 세련되고 멋스러운 코트다. 정말 맏이는 하늘에서 낸다더니 식구들을 최우선으로 하는 가족애가 유난히 강한 녀석이다.

쇼팽의 "강아지 왈츠"를 들으면서 큰 애가 피아노를 치면서 특별히 트릴을 기막히게 연주하던 기억에 가슴이 먹먹해졌다.

그 재능을 이어주려고 딸에게 맞는 선생님을 구하려 하니 대입 준비생들을 위한 수준의 교수님이라야 하는데, 도저히 형편이 허락되지 않아 꿈을 접어야 되다 보니 본인도 너무나 힘들어하던 기억이….

그때 주택보다는 아파트에 한번 살아 보겠다고 하다가 일이 크게 잘못돼 화곡동 지하방까지 밀려온 상태였던 그 시절이 너무너무 힘들었던 날들로 평생 한으로 남는다.

그런 과정들이 작은딸아이에게도 강하게 성장하는 동기가 된 것도 같다. 그리 혼자 발버둥 치던 작은딸은 부모가 편히 기댈 수 있는 버팀목이 되어주지 못하니 더더욱 자립 의지가 강해졌는지도 모르겠다. 결국 모든 일을 혼자 이루었다.

독일로 건너가서 공부하고 외국어대 통역*번역대학원에 진학, 독일어 동시통역 석사 학위를 받고, 몰디브에서의 결혼식까지 모두 부모의 도움 없이 혼자 힘으로 다해냈다.

몰디브 결혼식으로의 초대, 항공권, 숙박까지 철저하게 제 혼자 준비하여 못난 부모를 불러주었다. 그 아름다웠던 몰디브 결혼식은 환상적이었고 감동이었다.

경제적인 독립까지 이루어 내야 진정한 독립이라며 치열하게 청춘 시절을 살아가는 두 딸아이를 보며 밀려드는 감당키 어려운 스트레스와 미안함과 부끄러움으로 몸은 점점 망가지기 시작하고 장을 보러 가도 힘을 쓰지 못해 딸 둘이 큰 짐들을 들고 나는 겨우 지갑만 챙겨 들고 따라다니는 상황까지 되다 보니 종국에는 내가 이대로 죽어갈 수는 없다는 오기가 끓어올라 무언가는 이루어 내야 한다는 처절한 다짐을 하던 차에 구체적인 실행을 위한 버킷리스트를 만들게 되었다.

어쩌다
모델

아침 신문 읽기로 하루를 시작하는 평생의 습관대로 펼쳐 든 조간신문, 유난히 눈에 띄는 기사에 전율을 느꼈다.

'나는 시니어 모델이다'라는 기사가 충격으로 다가왔다. 어려서부터, 아니면 당연히 젊은 시절의 패션모델이 아니라 시니어가 모델이 된다니 어떻게 그럴 수 있는 거지? 노쇠기로 접어드는 중년의 나이에 모델이라니. 본디 그 방면에 전혀 무관심했더라면 그러려니 지나갔겠지만, 내 안에는 그런 쪽으로 숨어있던 강렬한 바람이 있었나 보다. 며칠이 지나도 잊혀지지 않고 머릿속에서 계속 맴돈다.

도저히 잊히지 않기에 이대로는 안 되겠다 싶은 강한 호기심과 끓어오르는 도전 욕구에 모델이 되기 위한 수업을 받기로 단단히 마음먹고 '뉴시니어라이프 아카데미'를 무작정 찾아갔다. 무릎이 붙어 엑스자형의 다리였기에 모델 워킹하고는 거리가 멀다고 생각했었는데 꽤나 긴 시간 훈련을 거듭하면서 극히 정상적인 일자형 다리로 교정이 되고 나니 불가능할 거라는 당초의 불안감, 의구심은 사라지고 자신감으로 충만하게 되었다.

틈만 나면 걷고 또 걷고, 도로가 온통 런웨이다. 특히나 파란 신호등이 켜진 건널목은 더없이 좋은 멋지고 멋진 런웨이다. 이렇게 실체적이고 근사한 체험을 통해 나도 시니어 모델이 된다는 명제 앞에서 대변화를 꿈꾸기 시작한다.

그야말로 오리걸음에서 타조걸음으로 바뀌는 고된 훈련을 거치고 결국 '워킹 강사 자격증'까지 갖게 된다. 그 중심에 '뉴시니어라이프 구하주' 회장님이 계셨다. 부족한, 불편한 중장년 혹은 노인들까지 철저히 훈련시켜 종국에는 런웨이에 서게 만들어 내신다.

멋있다. 가능하다 부추기며 계속 격려와 칭찬으로 자신감을 불어 넣어 주신다.

이렇게 나 자신의 체형 교정, 걸음새 교정으로 자신을 얻은 나는, 이제는 나도 필요한 누군가에게 도움을 주는 봉사활동을 하고 싶다는 마음이 들었다. 언젠가 방송에서 말했듯이 나이 들어가며 변화하는 자세, 걸음새 고민하며 이를 고치고 싶어 하는 사람들에게 워킹수업(훈련)을 통해 그 가능성을 열어주는 워킹수업을 시작하게 된다.

여담이지만 몇 년 전 동유럽 크로아티아 등을 여행 시 우리의 관광객들이 여행지 음식점 등에서 왁자지껄 떠들고 널브러지게 해놓고 팁도 없이 의자들을 빼놓고 떠난 뒤, 코리안 지겹고 싫다고 의자들을 발로 차넣다시피 뒷정리하는 현지 종업원들의 볼멘소리를 듣고는 너무나 부끄럽고 미안하고 안타까웠다. 그래서 내 워킹수업에서는 수업 후 자기가 앉았던 의자는 반드시 가지런히 원위치시키는 습관을 들이도록 강조한다.

또 한 가지 예전 스페인 여행에서 보았던 그곳 현지 중년들이 멋스럽게 갖춰 입은 모습을 부러워한 기억이 새롭다. 우리나라 중년 세대들도 때와 장소에 관계없이 외출 시 걸치는 등산복 차림 일색이 아닌, 제대로 갖추어 입고 바른 걸음으로 걷는 멋스러운 모습들을 기대하며 내가 펼치는 작은 워킹 수업으로나마 우리 중년 세대들을 근사하게 변화시키고 싶다는 게 간절한 여망이다.

워킹 지도의 한 예를 나열해 본다.

벽타기 (자세 교정)

발뒤꿈치, 종아리, 엉덩이를 벽에 붙이고 무릎을 모아준다. 무릎이 많이 벌어진 경우에는 벌어진 정도에 따라 다른 두께의 책을 끼우고 서 있게 한다. 교정의 효과가 좋다.

허리는 주먹 하나 들어갈 정도로 띄어준다. 날갯죽지를 붙이고 어깨는 양쪽 수평을 맞춰 선다. 머리는 뒤통수 아랫부분이 닿도록 하고 턱을 아래로 15도 정도 당긴다. 시선은 정면으로 고정시키고 실에 달린 인형극의 인형 머리를 위에서 잡아당기는 느낌으로 목을 늘려 서 있고 아랫배에 힘을 주고, 괄약근에도 힘을 주어 20분 정도 서 있는다.

안 되면 단 10분이라도 이 자세를 연습하다 보면 분명히 확실한 효과가 있다. 이 훈련을 반복하게 되면 무릎이 붙고 허리가 곧아지

며 키도 2~3센티 커진다. 더불어 명상 음악을 틀어놓고 하게 되면 좀 더 수월한 효과가 있다.

반복 훈련으로 어느 정도 자세가 교정되면 워킹 연습, 엄지 검지 발가락에 힘을 주고 일자로 내디딘다. 11자가 아닌 1자로 줄을 그어놓고 연습하면 효과적이다. 무릎을 스치듯 내딛고 발이 바깥이나 안쪽으로 쏠리는 경우, 매 걸음마다 신경 써서 일자가 되도록!

한 가지 팁을 드리자면 워킹이 어색하더라도 처음부터 발을 멀리 내디뎌 보폭을 크게 하는 것이 좋다.

뒷발을 끌어서 오더라도 보폭을 넓게 만드는 습관을 들이면 발이 아닌 허벅지가 나가면서 시원시원한 파워워킹이 된다. 손은 날달걀을 하나 쥔 듯, 펴지 말고 중지 손톱이 바지 옆 봉제선을 스치듯 하면 자연스럽다. 반복 연습하셔서 멋진 나만의 워킹 포인트를 찾자.

참 배움에 열정적이었다. 한량무, 탭댄스도 배워보고 무엇보다 *시니어 댄스팀을 만들어 청바지에 하얀 남방, 모자까지 맞춰 쓰고 빨간 힐을 신고 춤을 추는 컨셉을 구상하여 실행에 옮겼다. (빨강 힐은 접고) 그때만 해도 시니어가 청바지에 하이힐은 조금은 파격이었다.

반복되는 피나는 연습 끝에 '황현모' 감독이 연출하신 '한강스토리 패션쇼'에 올려진 우리의 무대는 속칭 대박이었다. 함께 출연했던 젊은이들의 무대는 우리 시니어들의 공연에 묻혀버렸다고 해도 과언이 아니다. 쿵 쿵 쿵 웅장한 소리를 울리며 시작된 마이클 잭슨의 곡 〈빌리 진〉에 맞춘 우리 댄스팀 공연은 환호성으로 그야말로 초토화. 다른 무대는 다 묻혀버렸다. 그야말로 대박이 났다.

우리 댄스팀에는 어떤 청바지가 맞을까, 모자에는 무슨 장식이 돋보일까 고민하며, 거의 매일 시장을 헤매고 매달렸던 기억 들이 그 순간 보람으로 뿌듯하다.

그 이후로 정말 이곳저곳에서 우리를 불러주었다.

이제는
배우까지

돌이켜 보면 딸을 앞세워 행하였던 것이, 나의 대리만족을 위한 무리한 욕망이었을까…. 지금 와서 생각해 보니 작은 딸아이의 방송활동은 반강제적으로 시킨 면이 없지 않았었던 것 같다.

내가 하고 싶었던 것을 어린 딸을 앞세웠던 게 아니었나 하는 회한에 젖어 든다. 맞다 어쩌면 그게 맞는 얘기다 방송 드라마에서 비중 있는 역할을 맡아 출연하면서도 별로 즐겁거나 재미있어하지 않았으니 말이다. 또래 여자아이들이 시샘하고 미워하는 통에 학교 생활이 너무 힘들다고 이야기하곤 했었다.

그때가 고작 초등학교 3~4학년이었는데, 본디 조용한 성격에 책 읽기만을 유난히 좋아하던 녀석이라 그런 외부 활동, 더구나 방송 출연은 도저히 감당키가 어려웠고 또 성격에도 맞지 않는 것이었으리라 오죽하면 학교가 파하고 돌아올 때, 빨리 집에 가서 좋아하는 책을 읽을 생각으로 뛰어왔다고, 버텨왔다고 지금도 회상한다.

몇 년 전 남아공에 살 때, 임신한 상태로 친정을 다니러 왔는데 힘들었던 자신의 어린 시절과 화해하러 왔노라고 말하는데, 듣고 있는 나는 정말이지 미안하고 가슴이 저렸다. 얼마나 힘들었으면 임신 한 몸으로….

성격이 워낙 강직하고 차분한 아이라 힘든 내색을 안 하고 엄마의 요구를 수용하자니 어린 마음에 얼마나 속앓이했었을까? 좋은 역을 맡으면 신나하고, 자랑스러워하던 다른 아역 배우들과는 확연히 대비되는 녀석의 태도에서 비중 있는 역을 맡아 우쭐하던 내가 머쓱해지던 기억이 난다.

오대양

EXPO
1st
KOREA-ROMANIA
INDUSTRY EXPO
SEP 3(TUE)~5(THU), 2019
Sala Polivalenta, Outside Square
10:00~17:00
Host
Supervisor
K-REA
EUROSUNG S.R.L

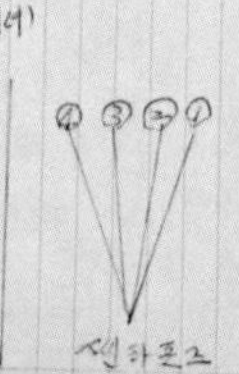
5. 세자 세자빈
①② 세자.빈 함께
1 by 1
2 by 2 동시
센타포즈 아웃
6. 왕. 왕비
7. 호위 무사
8. 당 의 (청지. 쪽머리 비녀)
④③②①
순차적으로 1 by 1
센타포즈 OUT
공간이 좁으면 가운데부터)
센타포즈

그렇게 아이의 방송 출연을 따라다니면서 당시 다른 배우들의 연기를 섬세하게 들여다보고, 상황에 맞게 연기를 하는지 나름대로 진지하게 판단해 보았던 것들이 결국은 그 방면으로 관심이 많았던 나 자신이 아니었나 싶다. 그런 일련의 일들이 훗날 내가 연기수업까지 받는 계기로 발전하게 되었다.

그런데 우연한 기회가 찾아왔다.

친구인 '영지한복' 원장의 부탁으로 (제1회 한국 * 루마니아 엑스포) 행사의 오프닝 무대에 '영지한복 패션쇼'의 연출을 내가 맡게 된다. 루마니아 대학생들을 모델로 동선을 짜고 역할을 주고 런웨이에서 워킹 포인트를 짚어주면 똘똘한 통역이 찰떡같이 알아듣고 전달하면 모델들이 기막히게 소화해 낸다.

마지막 날, 모든 행사가 끝나고 패션쇼 연출자로 소개받고 큰 환호와 박수를 받은 순간의 감격이 아직도 생생하다.

꼭 다 그런 건 아니었지만 대부분 출연한 모델들이 힘들게 해외여행 겸 패션쇼를 하러 나가곤 하던 때인데 나는 특별한 대우를 받으며 멋진 해외 패션쇼를 해낸 것도 참 뿌듯하다.

루마니아 행사의 개요는 이러했다. 한국*루마니아 건축박람회 기념 K팝 공연에 오프닝 프로그램으로 한복 패션쇼를 진행, 당초 1회 공연 예정이었으나 앵콜 공연으로 재공연 진행,

1. 청사초롱
2. 일반한복
3. 가 오 리
4. 기생한복
5. 세자 * 빈
6. 왕 * 왕비
7. 호위무사
8. 당의한복
9. 퓨젼한복
10. 태극무늬

순서로 진행되었는데, 통역하는 친구가 똑소리 나게 잘해주어서 박수도 많이 받았다. 외국 친구들이라 쉽게 동선을 짠 것이 아쉬움으로 남았다.

이래저래 나는 참 운이 좋았다.

그때, '명작엔터테인먼트' 대표이신 '지상화' 감독님을 만나게 되었다. 초면임에도 나를 각별하게 예우해 주시고 제법 괜찮은 호텔에서 멋진 식사 자리도 마련해 주셨다. 며칠을 함께 하는 동안 '이 분야에 이런 성실하고 다정하며 친절하신 분이 계셨구나!' 하고 깊은 인상을 받았다.

약속을 목숨처럼 중히 여기고 자신이 한 말은 반드시 지키고자 노력하는 모습이 무한 신뢰를 갖게 한다. 그 점에서는 나와 많이 닮았다고 여겨졌다. 여러 면에서 너무나 고마웠다.

루마니아 행사를 마치고 귀국해서 이어지는 인연에 '원성진' 감독님을 만나게 되고, 원로배우이신 '전무송' 선생님과 비중이 그닥 크지 않은 단역이지만 함께 출연, 연기도 하게 된다.

'전무송' 선생님과의 인연은 오랜 지인인 '배해성' 영화감독님의 '아부지'란 작품에 출연하셨던 적이 있어 배 감독님과의 친분 덕에 선생님이 연극 등에 출연하실 때마다 나도 함께 불러주셔서 그야말로 기라성 같은 대 배우들을 한자리에서 뵙게 되는 멋진 자리를 갖게 된다.

박정자 선생님, 유인촌, 정동환, 손숙, 윤석화 님 등 연극, 영화계의 큰 선생님들을 만나 뵙고 지인이 만들어 간 음식을 대접, 맛있게들 드시며 화기애애한 분위기 속에서 즐겁고 유익한 시간을 보낸 것이 아직도 꿈만 같다.

각별한 인연이 있던 터라 근자에 찍은 어느 단편영화에서 오빠와 누이동생으로 출연할 기회가 있어 전무송 선생님을 또 뵙게 되었는데 기억해 주시고 따뜻하게 안부를 물어 주셔서 얼마나 고맙고 반가웠는지…. 내겐 큰 감동이었다.

이런저런 계기로 인해 연기를 제대로 배워 잘해보고 싶은 욕망이 날로 커졌다. 가장 아끼는 후배 '이승연' 교수가 있는 숭실대 평생교육원에 등록하고 허부영 지도 교수님의 연기 지도를 받는 수업도 최선을 다했다.

최근에는 '라미란' 배우가 주연을 맡은 영화 〈고속도로 가족〉에 단역으로 출연했었는데, 엔딩 크레딧에 내 이름 세 글자가 스크린에 올라가는 순간 기쁨으로 다가오는 걸 느끼며 더 굳어진다! 더 열심히 해보자.

이렇게 신나고 행복해지는 것을 보면 아마도 내 적성에 딱 맞는 일이 아닌가 싶어지고 정말 제대로 이 길을 가봐야겠다는 강렬한 의지가 샘 솟는다.

이젠 네이버 검색에서 내 이름 석 자를 치면 '영화배우 최이윤' 결코 부끄러운 이름은 되지 말아야 한다.

나는
계속 진화한다

끊임없이 뭔가를 배우고 자격증을 따며 쉼 없이 달려왔다.

'흡연예방 교육강사' 자격증을 따서 초등학생, 중학생들 앞에서 니코틴, 타르의 유해함을 가르치고, 담배를 끊기 원하는 고등학생들에게 꼭 금연에 성공할 수 있도록 동기부여가 될 책도 사주고 지속적인 관심과 격려로 도움을 주며 큰 보람을 느끼기도 하였다.

2021
한류, 세계를 향해 비상하다!!
한류문화대상
시상식

처음 버킷리스트를 만들 때 정한 3개의 자격증 따기는 〈조경기능사〉, 〈워킹지도강사〉, 〈흡연예방교육강사〉 였다. 부족하지만 나름 내 자신과의 약속은 지켜냈다는 만족감과 뿌듯함을 느껴도 괜찮지 않을까라는 자아도취에 빠져 본다.

지금도 힘든 분식집 일을 하며 열서너 시간 동안 꼬박 서서 버티어 내면서도, 새로 시작한 베이스 기타를 두어 시간씩 연습하고 또 책 한 줄이라도 읽어야 마음이 편해진다.

통기타로 연주하던 것과는 또 다른 느낌의 베이스 기타 무언가 울림이 색다른 베이스 기타가 참 좋아서 다행이다. 내가 연주하는 반주곡에 내 노래를 할 수 있기를 원하여 배우기 시작한 통기타로 열심히 기타수업을 하다가 사람들이 좋아 만난 〈a6 통기타 밴드〉의 일원으로 합류해 주말마다 야외공연 (주로 양수리 세미원 또는 각종 행사장) 그리고 자치단체 문화 프로그램 등에서 공연하며 언제나 즐거웠고 행복했던 기억들이….

종일토록 서서 일하며 뜨거운 화덕과 마주해 땀 흘려 지친 몸으로도 베이스 기타를 잡게 하는 원동력이 된 게 아닌가 싶다.

이제는 자격증도 세 개는 땄고 연극도 해보고, 패션모델로 100회 이상의 각종 패션쇼도 진행해 봤고 그 과정에서 연출상도 받아 보았으며 나름대로 미미한 존재지만 단역일망정 배우까지….

기타밴드 멤버로 활동하며 공연도 수십 차례 다녀 보았으니
또다시 행복한 마음으로 통기타가 아닌 베이스 기타로
무대에 올라 연주하는 내 모습을 그려본다.

나는 계속 진화할 것이다.

내 몸이, 건강이 허락할 때까지는….

천통기타클럽
하우

멋진 모델 워킹으

고 시절 유행어&유행가

에이식스밴드
세미원
토요음악회

두 딸에게 바칩니다.

한참 예민한 시기에 처절하게 노력해서 살아남은
그것도 너무나 멋지게 삶을 가꾸어 낸 내 딸들에게
나 삶의 모든 중심이 되어주어서 고맙다고
꼭 표현하고 싶었다.

한 번뿐인 인생
후회 없이 하고픈 건 다 하고 살자.
써니.

자아 찾아 삼매경

"웃음은 강장제이고, 안정제이며,
진통제이다."

Laughter is the tonic, the relief,
the surcease for pain.

나의 잠재력은 어디까지

어려서부터 호기심이 많은 나였다. 무엇이든지 눈에 들어오면 꼭 배워야 하고 꼭 해내고야 마는 성격이다 보니 사고도 많이 치고 심지어는 집에 불이 날 뻔도 했다. 볏짚에 감자 구우려고 한 게 사달이 나 불이 부엌에서 번졌다. 다행히 놀라 달아나는 나의 모습에 엄마가 빨리 발견해 큰 사고로 이어지지 않았다. 그래서 엄마한테 혼도 많이 났다. 오죽했으면 어머니가 “너는 눈도 쬐끄만 게 간은 왜 그리 큰가?” 하며 크게 꾸짖었다.

순발력이 좋아 단거리를 워낙 잘 뛰어서 운동선수로 구대표, 시대표로 육상선수 활동을 하기도 했다. 눈여겨보던 체육육성 학교에서 스카웃할 정도였으니까. 하지만 그해 홍역을 앓았는데 집안에 의사분이 계시는데 빨리 회복하라고 지극정성으로 놓아준 주사약이 문제가 되어 일시적인 부작용이 왔다. 소리가 들리지 않았다. 그 뒤로 회복은 됐지만 당시 누가 귀머거리를 받겠는가?

어린 나이에 상처가 컸었다. 그해 14살이었는데 그 뒤로 다시는 뛰고 싶은 생각이 없어졌다. 한참 뒤에 그 약품은 당국이 부작용이 많다며 사용 금지시켰다.

초등학교 때 그림 그리기를 좋아했다. 이웃집 언니랑 만나면 바닥에 낙서하고 그림을 그려댔다. 학교 선생님의 배려하에 교육용 만화를 그려 벽보에 전시까지 했다.

성인이 되어서 교회를 다니며 성가대 책임을 지게 됐다. 엄마 따라 교회에 다닌 것도 있지만 어르신들이 피아노 배우게 하겠다고 해서 더 끌렸다. 서탑 교회에 다니며 피아노를 배웠는데 겨우겨우 찬송가를 칠 수 있었지만, 한국행으로 그것 또한 오래가지 못 한게 못내 아쉬움이 남는다. 그 뒤로 한국행이 나의 삶을 180도 바뀌게 했다.

모든 것을 배우고 싶어 하는 나의 잠재력은 어디까지일까? 나는 왜 하고 싶은 게 이렇게 많지?

아마 난 욕심쟁이인가 보다.

친구 따라
강남 간다?

대한민국에서의 삶은 나에게 큰 변화를 가져다주었다.

15년은 가정에 충실하며 열심히 일에만 몰두했다. 그래서 인천에 집도 장만하고 차도 소유하고 남이 부러울 정도로 만족하며 살았다.

건설 현장 일을 남편 따라 5년 동안 다니면서 몸이 망가지기 시작하였다. 해서 언니의 제안을 받아들여 서울에 직장을 잡으면서 남편의 외도가 문제가 됐다.

마침 애들 결혼문제로 남편이 저의 친정엄마한테 악다구니한 것을 작은애를 통해서 알게 됐다. 괘씸해서 도무지 용서되지 않았다. 협의이혼에 도장을 찍고 나서며 결심했다. 인생은 지금부터 다시 시작한다고~당시 내 나이 50이었다.

100세 인생에서 인생의 반은 헛되이 보냈지만, 후반생은 후회 없이 살 거라고 다짐했다.

보험회사에서 내근직을 하면서 많은 시간을 회사에 할애했다. 특히 친언니가 보험대리점을 하게 되면서 모든 심혈을 기울여야만 했던 시기이므로 더욱더 열심히 일에만 몰두했다.

그러다 어느 날 친구가 갈 데가 있다고 해서 간 곳이 한 여행사였다. 이곳에서 나는 예술에 대한 꿈이 다시 살아나기 시작했다는 생각이 든다.

2015. 11. 8.
후 1시
2013
국제평화언론대상
Journalism Award For International Peace
아침일보
충남도민일보
서경일보
e-Newstoday
PBS
평택방송
뉴스에듀
충남도민일보
마포일보
중부뉴스·iJBS
한국인터넷뉴스
세종 nTV
오늘뉴스
Londontimes
노래자랑대회
오후 1시
아트홀
협력방송언론사
한국언론사협회

대한민국공정사회발전대상

예술인들과의 만남과 교류는 나한테 꽤나 큰 신선함을 주었다. 일이 아무리 바빠도 큰 행사 작은 행사 다 쫓아다녔다. 까맣게 잊어버렸던 예술에 대한 갈망이 강하게 뇌리에 꽂혀버렸던 것이다. 이로 인해 좋은 경험도 많이 쌓고 뒤통수도 여러 맞아보고 했지만, 후회는 없었다. 지금의 하주현이 이렇게 끼가 있다는 것을 용감하게 알릴 수 있게 한 친구가 오히려 고맙다. 친구 따라 강남 가길 잘했다.

배우가 되다?

예술단을 8년 동안 운영하면서 내가 가지고 있는 끼는 찾지 못했다. 스스로 작은 키에 팔다리가 춤에 적합하지 않는다고 생각했다. 그리하여 무용 선생한테 회원들을 맡겨 놓고 나는 자아를 찾기 위해 여기저기 인터넷 온라인을 뒤져보기 시작했다. 마침 집과도 가깝고 코로나로 인해 시간도 낼 수 있어 마음에 꼭 드는 숭실대학교 글로벌미래교육원 40+시니어 연기예술 과정에 과감히 오디션을 보게 됐다.

설레는 마음으로 첫 수업을 듣고 따라 하면서 마음에 찐한 전율을 느꼈다. 교수님들이 준비한 다양한 프로그램들을 하나하나 배우기 시작했다.

다양한 분야에서 종사하시는 분들이 함께하는 자리가 더없이 소중하고 좋았다.

즐겁게 배우는 과정에서 나는 대본 외우고 말하는 것을 제일 두려워했다. 말투나 억양이 워낙 강해서 스스로 움츠려 있으려고 했다. 그래서 교수님보고도 대본에 대사가 적은 거로 배역을 달라고만 했다.

1기 졸업수료식에서의 에피소드가 생각난다. 상궁 배역을 맡은 적이 있었는데 정말 대사가 몇 마디 없었다. "마마 통촉하시옵소서" 이런 대사였었는데 평상시에 잘 연습했던 것 같은데 수료식에서는 머리가 하얗게 아무것도 생각나지 않았다. 왕 뒤에 졸졸 따라다니며 왕의 대사를 듣다가 나의 대사가 생각이 나지 않았다. 당황한 나머지 마마라고 부르는 걸 까먹고 "통촉하옵소서"라고 했다. 일단 고비는 넘겼지만 지금도 그때를 생각하면서 절로 웃곤 한다.

이렇게 1기부터 3기까지 전 과정을 수료 받았다.

<종강 발표회 및 수료식>
#숭실대학교글로벌미래교육원
#2021년1월9일4시 #안익태

40+시니어연기예술과정
중급과정 수료공연 및 수료식

40+시니어 연기
<종강 발표회 및
#숭실대학교글로벌미래교육원
#2021년1월9일4시 #안익태관
#초급과정수료 #1기화이팅

40+시니어 연기예술
<종강 발표회 및 수료
#숭실대학교글로벌미래교육원
#2021년1월9일4시 #안익태관 #박태준홀
#1기화이팅

향의봄 문화예술제 및 제3회 한중연예인예술단과 함께하는
2018
고향의봄 문화예술제
제3회
한·중 연예인예술단과 함께하는 노래자랑대회
구로구민회관 대강당
주관
전국귀한동포총연합회

수료 과정에서 현장 체험도 교수님들의 추천으로 이루어졌다. 이승연 주임 선생님과 허부영 교수님. 이 두 분의 열정에 나도 자신감을 얻게 되었고 적극적으로 변했다.

수업을 받고 나서 단편영화 〈5월 그리고 봄〉 금순 역은 저의 첫 데뷔 작품으로 출연하게 되었다. 그 후 허부영 교수님 덕분에 라미란 배우 주연의 영화 〈고속도로 가족〉에도 출연하였고, 워킹대회에도 참가하며 경력을 쌓았다.

허부영 교수님이 직접 작, 연출한 제3회 2023 대한민국 치유예술제 참가작 〈괜찮아. 다~해!〉 연극에도 출연했고, 작품상까지 수상하게 되었다.

잘할 수 있을지는 모르겠으나 최선을 다해 도전하다 보면 뿌듯함을 느낀다. 나는 시니어 배우다.

한국무용에 도전하다

앞서 얘기했듯이 나는 예술단을 운영하고 있다. 8년이란 세월에 예술단은 희로애락을 다 겪어보게 한 생생한 현장이기도 하다. 중국 동포들의 한국에서의 삶이 힘들다는 것을 잘 아는 나였기에 시작부터 회비 외에는 부담을 주지 않으려고 애를 썼다. 무용 옷감을 손수 사비로 사들여서 밤 지새우며 무용복을 제작하였고 무용 도구들도 사비로 사들였다.

선생님에게도 보수를 두둑하게 챙겨주고 나는 최소한의 회비 만 원으로 예술단을 운영하였다. 그러다 보니 월급 받아서 남는 것이 전혀 없고 오히려 대출받아 생활해야 했다.

처음에는 다른 예술단과 차별화되게 다양한 무용을 주문했다. 그리하여 많은 무용수의 활약과 선생님의 노력으로 단시간에 몇 가지 무용이 생겼다.

첫 행사도 해보고 두 번 세 번 행사하며 회원들이 즐거워하니 나도 아주 신났다. 주머니 사정이 점점 나빠지고 있는데도 말이다. 결국 선생님에게 예술단 사정을 얘기하기로 했다. 하지만 돌아오는 말은 나의 가슴을 아프게 후려쳤다. 결국 파경에 이르고 선생님은 회원들을 반 이상 데리고 나갔다.

월세가 150만 원이고 그 외에 전기세 기타 등등 지불해야 하기에 당시로는 나에게 있어서 큰 타격이었다. 마침 코로나도 터지고 엎친 데 덮친 격으로 자금에 허덕이며 대출에 의존하며 생활해야 했다·그 후 집주인에게 사정하여 125만 원으로 월세가 25만 원 줄었지만, 여전히 힘든 시기였다.

이렇게 버티다 2년 만기가 다가올 무렵 후임 무용 선생님 소개가 들어왔다. 한번 당했던 터라 신중해야 했기에 확실한 약속은 할 수가 없었다. 코로나 시기였기에 더욱 신중해야 했다. 일단은 적은 보수로 시작하다가 회원들이 많이 늘면 그때 더 챙겨주기로 했다. 그래서 항상 뒤에 온 선생님한테 미안한 마음이 앞섰다.

하지만 이번에는 1년쯤 됐을 무렵 보수가 적다며 선생님이 말을 걸어왔다. 이번 선생님이 오시는 관계로 집을 2년 더 연장계약을 했기에 나는 회원모집을 더 해서 조금 더 챙겨주는 쪽으로 얘기를 했으나 소용이 없었다.

그렇게 선생님이 또 그동안 모집한 회원들을 그리고 기존에 있던 회원들까지 데리고 나갔다. 결국 남은 회원분들이 7명이었는데 의리파 회원들만 남았다. 남은 회원들 몇 명이 나의 힘든 사연을 알고 십시일반으로 30만 원씩 월세 내어주기도 했다.

또한 친구가 무료로 중개해 예술단 집을 빼주고 집안 오빠가 지하 넓은 집을 소개해 줘서 지금의 보금자리에 둥지를 틀게 되었다. 너무도 고마운 분들이고 평생 잊지 않고 이 빚을 꼭 갚겠노라 다짐했다.

제6회 고척2동 자락길 걷기 마을축제
“화합의 한마당”
일시 : 2023. 11. 4.(토) 10:00~15:30
장소 : 고척근린공원
주관 : 축제추진위원회
한성수
(주)신세계통상 대표이사
남진국
가하주택건설 대표
백용우
(주)명진전관 대표이사
고혜경

한.중연예인예술단

이런 풍파로 인해 깨달은 게 하나 있었다. 무엇이든 내가 할 줄 알아야 한다는 것을.

그래서 내가 잘 아는 심양 언니가 조용하시고 한국무용도 잘하시는 분인데 3번째 한국무용 선생님을 소개해 주셨다. 한국무용을 처음 접하다 보니 회원들이 어려워하기도 하고 할 수 없이 추는 느낌을 받았다.

그래서 나라도 적극적으로 배워야겠다는 생각에 열심히 따라 배워봤지만 역시나 팔다리가 말을 듣지 않았다.

그렇게 시간이 흘러 코로나 시기임에도 위문공연이 하나 잡혔다. 선생님과 함께 새로 오신 무용수 5명에 우리 남은 회원 7명 그리고 모집된 회원들이 뭉쳐 4가지 절목을 준비했는데, 그중 무용〈새타령〉도 있었다. 심양 언니가 선생님에게 저를 중심에 두고 춰야 한다며 간곡히 매달렸다.

자존심이 걸린 문제라 열심히 배우기로 했다. 하지만 춤을 춰보지도 못 한 내가 과연 잘 출 수 있을까? 생각할 겨를도 없이 행사날짜가 별로 없다 보니 순서만 외우고 무대에 올랐다. 중간에서 혼자 잘못 춰도 관중들이 알 리가 없으니, 자신감이 붙어 오버스럽게 췄던 기억이 새록새록 난다. 작년에는 다양한 연말 행사에 초대되어 주로 무용〈창부타령〉과 〈설산아가씨〉를 공연했다.

지금은 여러 무용 절목이 생겨서 다양하게 활용하고 있다. 한국무용의 기본의 기자도 모르던 시절 배운 무용이었으니 다시 제대로 배우고 싶어 열심히 노력 중이다. 요즘은 '하면 된다'라는 말을 좌우명으로 마음속에 새긴다. 내가 배운 것을 왕초보들에게도 전수하며 나도 성장할 수 있는 좋은기회라고 생각해 금요일은 왕초보 반도 지도하고 있다.

또한 예술단 이름도 한·중 연예인예술단에서 다문화 연예인예술단으로 개명하였고 단독 행사 준비도 계획하고 있다.

사람들이 너를 내버려두면
삶은 아름다울 거야

Life could be wonderful
if people would leave you alone.